KU-732-420

USING THIS MAP BOOKLET

The 784km Camino Francés pilgrim route from St Jean-Pied-de-Port in southern France to Santiago de Compostela in Spain is an unforgettable adventure. This map book is part of a two-volume guide to the world's most popular long-distance trek. It contains

- stage-by-stage maps showing the route and the facilities available at different places
- over 120 town and village maps that help the reader to find the exact location of albergues and other sites important to pilgrims.

Each two-page spread of this map booklet shows a 1:100,000 scale map of the route that corresponds to the sample staging in the accompanying guidebook. You are encouraged to devise your own staging to suit your own needs and interests using the information on distances and facilities shown on the maps.

Other features include:

Stage summary box
For each stage a box shows the stage start and finish, total distance and estimated durations (walking time, not including coffee breaks, lunches or other wanderings of a typical pilgrim day).

Profile
For each stage a profile is included showing the elevation of the stage and the altitude of key places along the way, to give you an idea of what to expect.

Distances, municipal information and infrastructure symbols
Key villages, towns and cities ('municipalities') passed along the route are shown in a box, with symbols that summarize the facilities available in that location. A pink distance marker (white with pink lettering for an alternative route) shows the distance between municipalities, making it easy to calculate how far it is between facilities.

Town maps
Selected municipalities along the route appear in boxes with a white tinted background. These places have an additional town or village map showing the location of accommodation and key facilities. Municipalities without town maps appear in boxes with a green background.

For more information about the facilities and accommodation symbols shown on the stage maps and town maps see the key on the inside cover.

LIST OF STAGES (SAMPLE ITINERARY)

Stage number	Start	Finish	Distance	Time	Page
Section 1: Saint-Jean-Pied-de-Port to Pamplona					
Stage 1	Saint-Jean-Pied-de-Port	Roncesvalles	24.7km	8¼hr	9
Stage 2	Roncesvalles	Zubiri	21.8km	6¼hr	11
Stage 3	Zubiri	Pamplona	21.1km	6hr	15
Section 2: Pamplona to Burgos					
Stage 4	Pamplona	Puente la Reina	24.4km	7hr	19
Stage 5	Puente la Reina	Estella	21.6km	6¼hr	21
Stage 6	Estella	Los Arcos	21.6km	6hr	25
Stage 7	Los Arcos	Logroño	28.6km	8hr	29
Stage 8	Logroño	Nájera	28.5km	7¾hr	35
Stage 9	Nájera	Santo Domingo de la Calzada	22.1km	6hr	36
Stage 10	Santo Domingo de la Calzada	Belorado	22.5km	6¼hr	38
Stage 11	Belorado	San Juan de Ortega	24.0km	6¾hr	40
Stage 12	San Juan de Ortega	Burgos	26.8km	7hr	44
Section 3: Burgos to León					
Stage 13	Burgos	Hontanas	31.7km	8½hr	51
Stage 14	Hontanas	Boadilla del Camino	28.8km	7¾hr	52
Stage 15	Boadilla del Camino	Carrión de los Condes	25.3km	6½hr	57
Stage 16	Carrión de los Condes	Terradillos de los Templarios	26.4km	6¾hr	61
Stage 17A	Terradillos de los Templarios	Bercianos del Real Camino	24.5km	6½hr	62
Stage 17B	Terradillos de los Templarios	Calzadilla de los Hermanillos	27.7km	7½hr	62

Overview profile

Key:
> distance to Santiago de Compostela

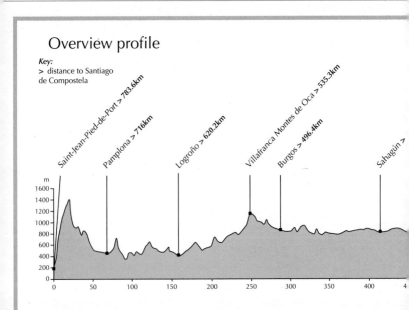

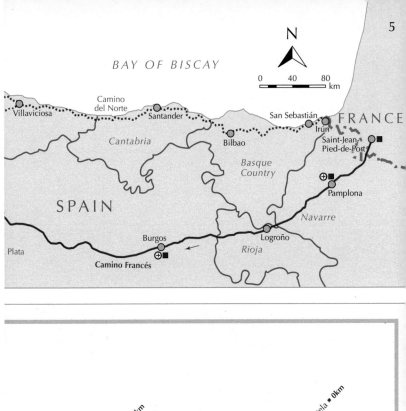

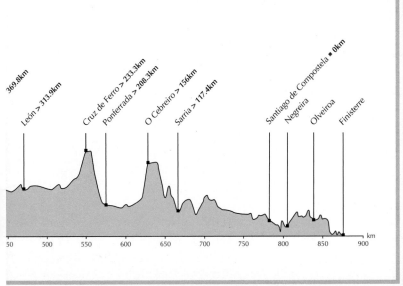

ISBN: 978 1 78631 005 7

© Cicerone Press and Sandy Brown 2020
Accompanying guide © Sandy Brown 2020
Reprinted 2022 (with updates)

 Route mapping by Lovell Johns www.lovelljohns.com

 Printed in China on responsibly sourced paper on behalf of
Latitude Press Ltd

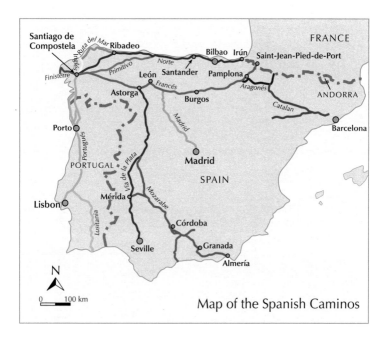

Map of the Spanish Caminos

ROUTE SUMMARY TABLE

Section	Overview	Places	Distance	Time
Section 1	**Saint-Jean-Pied-de-Port to Pamplona:** Steep Pyrenees then gentle foothills leading to Pamplona	Saint-Jean-Pied-de-Port – Roncesvalles – Zubiri – Pamplona	68km	3 or more walking days
Section 2	**Pamplona to Burgos:** Low ridges and broad valleys through vineyards and grain fields until a mountainous crossing	Pamplona – Puente la Reina – Estella – Los Arcos – Logroño – Nájera – Santo Domingo de la Calzada – Belorado – San Juan de Ortega – Burgos	220km	9 or more walking days
Section 3	**Burgos to León:** The broad and flat Meseta with little shade and few services	Burgos – Hontanas – Boadilla del Camino – Carrión de los Condes – Terradillos de los Templarios – Bercianos del Real Camino or Calzadilla de los Hermanillos – Mansilla de las Mulas – León	183km	7 or more walking days
Section 4	**León to Sarria:** The fertile Bierzo region between climbs to Cruz de Ferro and Alto do Poio	León – Hospital de Órbigo – Astorga – Foncebadón – Ponferrada – Villafranca del Bierzo – La Faba – Triacastela – Sarria	196km	8 or more walking days
Section 5	**Sarria to Santiago de Compostela:** Forests, dairy farms and eucalyptus plantations in undulating countryside	Sarria – Portomarín – Palas de Rei – Arúza – O Pedrouzo – Santiago de Compostela	117km	5 or more walking days
Section 6*	**Santiago de Compostela to Finisterre or Muxía:** Galician farmlands opening out to the dramatic Costa da Morte	Santiago de Compostela – Negreira – Olveiroa – Finisterre – Muxía	91 or 87km	3 or more walking days

* Additional stages beyond Santiago to the Atlantic coast

Section 1: Saint-Jean-Pied-de-Port to Pamplona

Saint-Jean-Pied-de-Port 190m
option for Valcarlos variant 182m
Gîte Huntto 493m
Orisson 796m
Arnéguy 246m
Valcarlos 349m
Lepoeder summit 1426m
Puerto de Ibañeta 1057m
Roncesvalles 948m

Distance of variant not to scale

5.3 2.4 13 4

For additional town maps for
Stage 1 see pages 12–13

-Étier
Baïgo

Aldudes

Labiarringo Erreka

Urepel

D59

Na-138

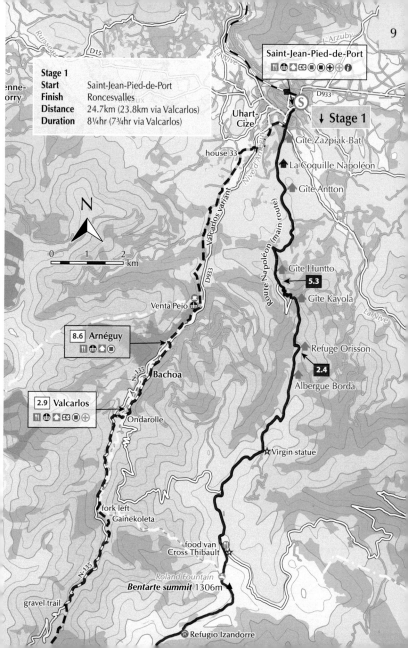

Saint-Jean-Pied-de-Port

Stage 1
Start Saint-Jean-Pied-de-Port
Finish Roncesvalles
Distance 24.7km (23.8km via Valcarlos)
Duration 8¼hr (7¾hr via Valcarlos)

↓ **Stage 1**

Uhart-Cize

house 33

Gîte Zazpiak-Bat

La Coquille Napoléon

Gîte Antton

Route Napoléon (main route)

Valcarlos variant

Gîte Huntto
5.3

Gîte Kayola

Venta Peio

8.6 Arnéguy

Bachoa

Refuge Orisson
2.4

Albergue Borda

2.9 Valcarlos

Ondarolle

☆ Virgin statue

fork left
Gaïnekoleta

food van
Cross Thibault

Roland Fountain
Bentarte summit 1306m

gravel trail

Refugio Izandorre

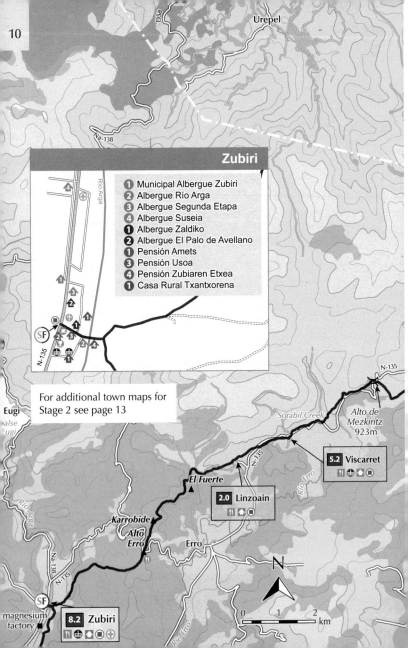

Urepel

Na-138

Zubiri

1 Municipal Albergue Zubiri
2 Albergue Río Arga
3 Albergue Segunda Etapa
4 Albergue Suseia
1 Albergue Zaldiko
2 Albergue El Palo de Avellano
1 Pensión Amets
3 Pensión Usoa
4 Pensión Zubiaren Etxea
1 Casa Rural Txantxorena

Río Arga

N-135

For additional town maps for Stage 2 see page 13

Eugi
Balse
Eugi

Sorabil Creek

Alto de Mezkiritz 923m

N-135

5.2 Viscarret

2.0 Linzoain

El Fuerte

Río Erro

Karrobide
Alto Erro

Erro

Río Arga

Na-138

N-135

N

SF
magnesium factory

8.2 Zubiri

0   1   2 km

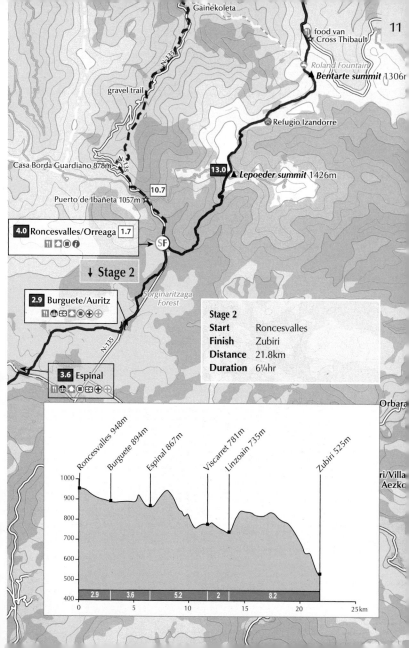

Gainekoleta

food van
★ Cross Thibault

Roland Fountain

Bentarte summit 1306r

gravel trail

🏠 Refugio Izandorre

Casa Borda Guardiano 878m

13.0 ▲ *Lepoeder summit* 1426m

Puerto de Ibañeta 1057m ★

10.7

4.0 Roncesvalles/Orreaga **1.7**
🍴🏠◎ℹ️ ← SF

↓ **Stage 2**

2.9 Burguete/Auritz
🍴⊕⊠🏠⊕⊕

Sorginaritzaga Forest

3.6 Espinal
🍴⊕🏠◎⊠⊕⊕

Stage 2	
Start	Roncesvalles
Finish	Zubiri
Distance	21.8km
Duration	6¼hr

Orbara

ri/Villa
Aezko

Elevation profile

Roncesvalles 948m — Burguete 894m — Espinal 867m — Viscarret 781m — Linzoain 735m — Zubiri 525m

| 2.9 | 3.6 | 5.2 | 2 | 8.2 |

0 — 5 — 10 — 15 — 20 — 25km

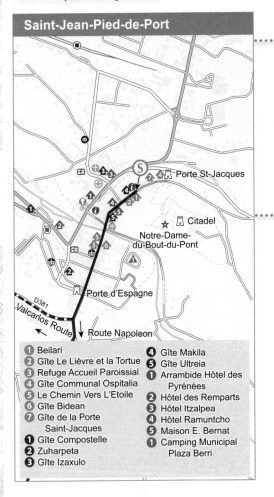

Saint-Jean-Pied-de-Port

Porte St-Jacques

★ Citadel
Notre-Dame-
du-Bout-du-Pont

D381
Valcarlos Route
Route Napoleon

Porte d'Espagne

1 Beilari
2 Gîte Le Lièvre et la Tortue
3 Refuge Accueil Paroissial
4 Gîte Communal Ospitalia
5 Le Chemin Vers L'Etoile
6 Gîte Bidean
7 Gîte de la Porte
   Saint-Jacques
1 Gîte Compostelle
2 Zuharpeta
3 Gîte Izaxulo

4 Gîte Makila
5 Gîte Ultreia
1 Arrambide Hôtel des
   Pyrénées
2 Hôtel des Remparts
3 Hôtel Itzalpea
4 Hôtel Ramuntcho
5 Maison E. Bernat
1 Camping Municipal
   Plaza Berri

See page 10 for town
map of Zubiri

Valcarlos/Luzaide

1 Albergue de Luzaide/
   Valcarlos Municipal

Roncesvalles/Orreaga

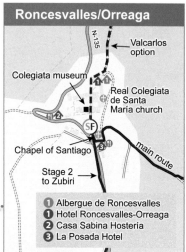

Valcarlos option

Colegiata museum

Real Colegiata de Santa María church

Chapel of Santiago

main route

Stage 2 to Zubiri

1 Albergue de Roncesvalles
1 Hotel Roncesvalles-Orreaga
2 Casa Sabina Hostería
3 La Posada Hotel

Burguete/Auritz

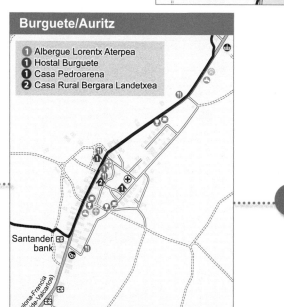

1 Albergue Lorentx Aterpea
1 Hostal Burguete
1 Casa Pedroarena
2 Casa Rural Bergara Landetxea

Santander bank

Pamplona-Francia
(Luzaide-Valcarlos)

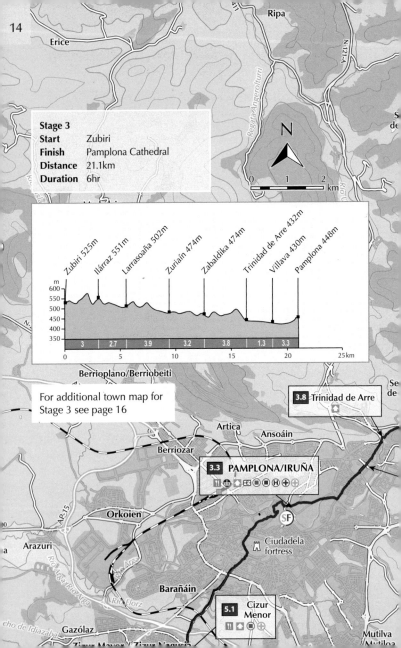

Stage 3
Start Zubiri
Finish Pamplona Cathedral
Distance 21.1km
Duration 6hr

N

0   1   2
km

Zubiri 525m · Ilárraz 551m · Larrasoaña 502m · Zuriaín 474m · Zabaldika 474m · Trinidad de Arre 432m · Villava 430m · Pamplona 448m

m
600
550
500
450
400
350

| 3 | 2.7 | 3.9 | 3.2 | 3.8 | 1.3 | 3.3 |

0   5   10   15   20   25km

Berrioplano/Berriobeiti

For additional town map for Stage 3 see page 16

3.8 Trinidad de Arre

Artica   Ansoáin

Berriozar

3.3 PAMPLONA/IRUÑA

Orkoien

SF

Ciudadela
fortress

Arazuri

Barañáin

5.1 Cizur
Menor

Gazólaz

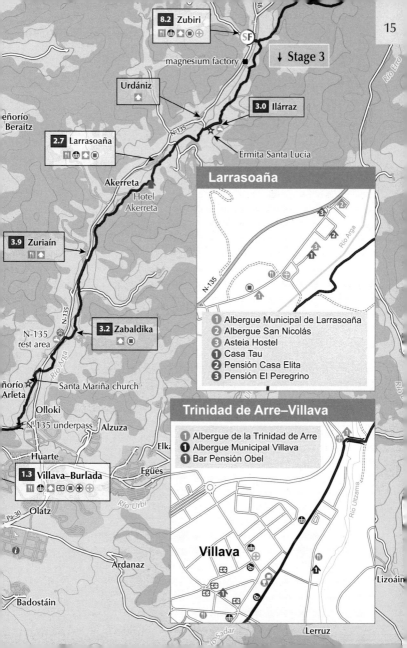

8.2 Zubiri

↓ Stage 3

magnesium factory

Urdániz

3.0 Ilárraz

2.7 Larrasoaña

Ermita Santa Lucia

eñorío Beraitz

Akerreta

Hotel Akerreta

Larrasoaña

1 Albergue Municipal de Larrasoaña
2 Albergue San Nicolás
3 Asteia Hostel
1 Casa Tau
2 Pensión Casa Elita
3 Pensión El Peregrino

3.9 Zuriaín

3.2 Zabaldika

N-135 rest area

ñorío Arleta

Santa Mariña church

Olloki

N-135 underpass   Alzuza

Huarte

1.3 Villava–Burlada

Olatz

Trinidad de Arre–Villava

1 Albergue de la Trinidad de Arre
1 Albergue Municipal Villava
1 Bar Pensión Obel

Elka

Egüés

Villava

Ardanaz

Badostáin

Lizoáin

Lerruz

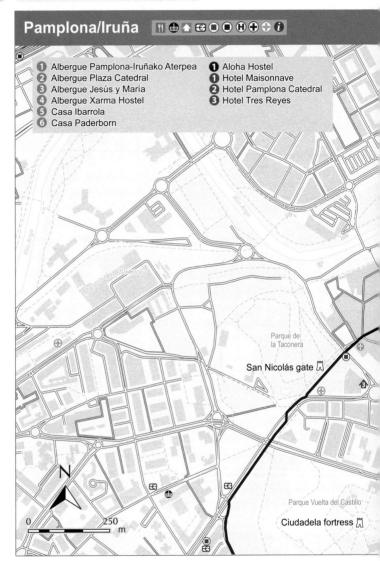

Pamplona/Iruña

1. Albergue Pamplona-Iruñako Aterpea
2. Albergue Plaza Catedral
3. Albergue Jesús y María
4. Albergue Xarma Hostel
5. Casa Ibarrola
6. Casa Paderborn

1. Aloha Hostel
1. Hotel Maisonnave
2. Hotel Pamplona Catedral
3. Hotel Tres Reyes

Río Arga

Paseo del Plazaola

Parque de la Taconera

San Nicolás gate

Parque Vuelta del Castillo

Ciudadela fortress

N

0   250 m

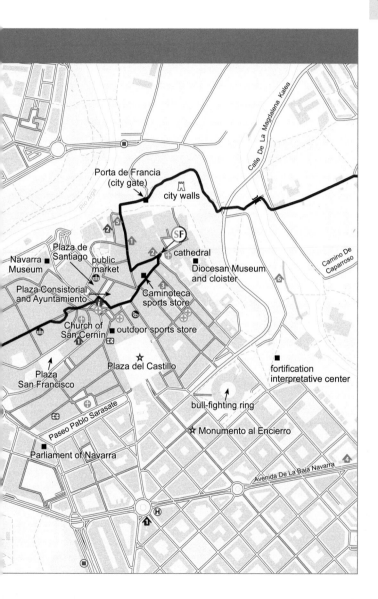

Section 2: Pamplona to Burgos

Stage 4
Start Pamplona Cathedral
Finish Puente la Reina
Distance 24.4km
Duration 7hr

For additional town maps for
Stage 4 see pages 22–23

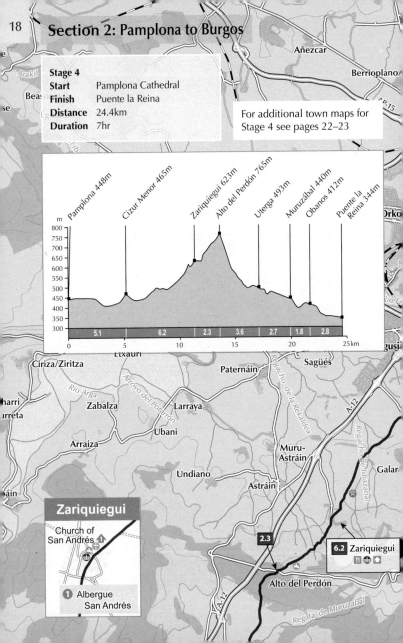

Pamplona 448m
Cizur Menor 465m
Zariquiegui 623m
Alto del Perdón 765m
Uterga 493m
Muruzábal 440m
Obanos 412m
Puente la Reina 344m

| 5.1 | 6.2 | 2.3 | 3.6 | 2.7 | 1.8 | 2.8 |

Zariquiegui

Church of San Andrés ❶

❶ Albergue San Andrés

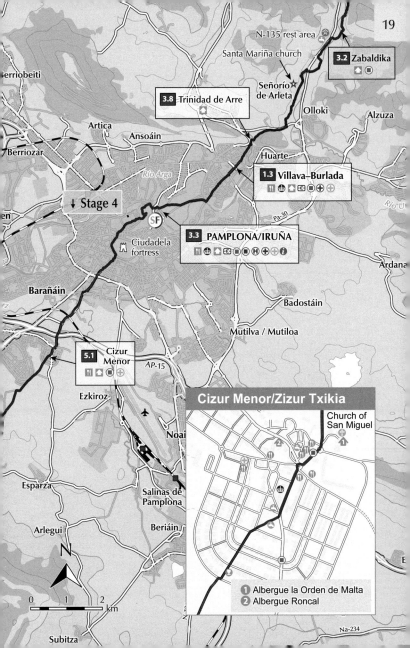

N-135 rest area

Santa Mariña church

3.2 Zabaldika

Señorío de Arleta

Olloki

Alzuza

Berriobeiti

3.8 Trinidad de Arre

Artica

Ansoáin

Berriozar

Río Arga

Huarte

1.3 Villava–Burlada

↓ **Stage 4**

SF

Río U

Ciudadela fortress

3.3 PAMPLONA/IRUŇA

Pa-30

Barañáin

Badostáin

Ardana

Mutilva / Mutiloa

5.1 Cizur Menor

AP-15

Ezkiroz

Esparza

Noai

Salinas de Pamplona

Arlegui

Beriáin

Cizur Menor/Zizur Txikia

Church of San Miguel

1 Albergue la Orden de Malta

2 Albergue Roncal

N

0   1   2
km

Subitza

Na-234

E

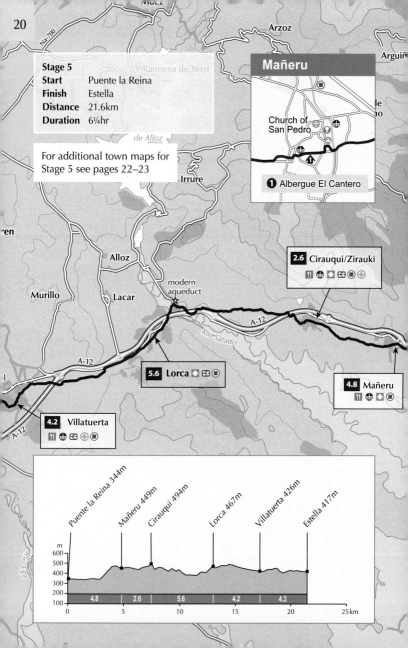

Stage 5
Start Puente la Reina
Finish Estella
Distance 21.6km
Duration 6¼hr

For additional town maps for Stage 5 see pages 22–23

Mañeru

Church of San Pedro

1 Albergue El Cantero

2.6 Cirauqui/Zirauki

5.6 Lorca

4.8 Mañeru

4.2 Villatuerta

modern aqueduct

Puente la Reina 344m
Mañeru 449m
Cirauqui 494m
Lorca 467m
Villatuerta 426m
Estella 417m

m
600
500
400
300
200
100

4.8 2.6 5.6 4.2 4.3

0   5   10   15   20   25km

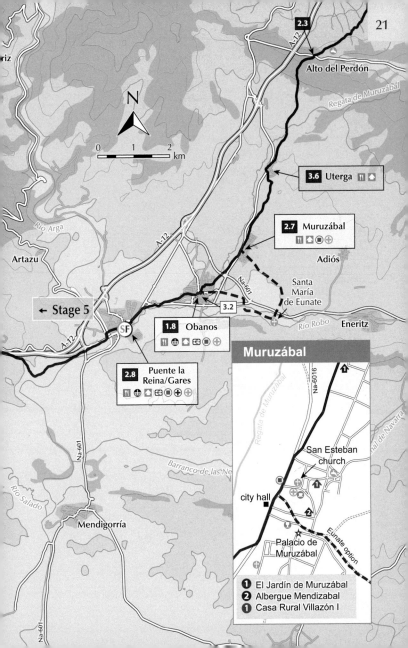

2.3

Alto del Perdón

Regata de Muruzábal

3.6 Uterga 🍴 ⛺

2.7 Muruzábal
🍴 🏧 ⬛ ✚

Adiós

Santa
María
de Eunate

Río Arga

Artazu

A-12

Na-601

Río Robo Eneritz

3.2

← **Stage 5**

A-12

SF

1.8 Obanos
🍴 🏧 ⛺ 🖂 ⬛ ✚

2.8 Puente la
Reina/Gares
🍴 🏧 ⛺ 🖂 ⬛ ✚ ✚

Na-601

Barranco de las Ne

Río Salado

Mendigorría

Na-601

Muruzábal

Regata de Muruzábal

Na-6016

Canal de Navarra

San Esteban
church

city hall ■

Palacio de
Muruzábal

Eunate option

❶ El Jardín de Muruzábal
❷ Albergue Mendizabal
❶ Casa Rural Villazón I

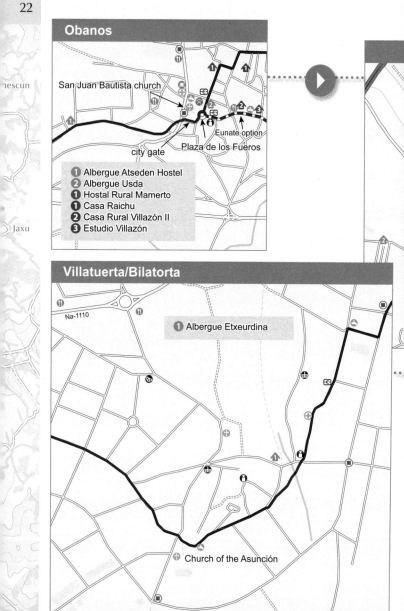

Obanos

San Juan Bautista church

city gate

Plaza de los Fueros

Eunate option

1 Albergue Atseden Hostel
2 Albergue Usda
1 Hostal Rural Mamerto
1 Casa Raichu
2 Casa Rural Villazón II
3 Estudio Villazón

Villatuerta/Bilatorta

Na-1110

1 Albergue Etxeurdina

Church of the Asunción

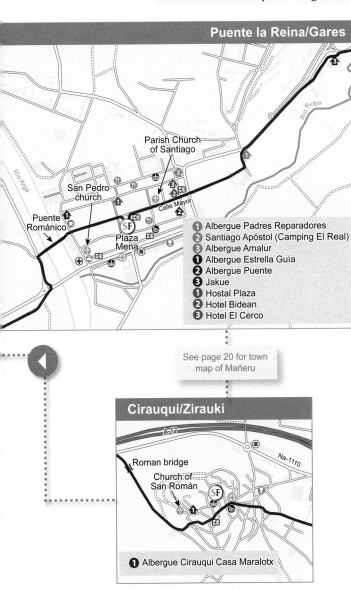

Puente la Reina/Gares

- Parish Church of Santiago
- San Pedro church
- Puente Románico
- Calle Mayor
- Plaza Mena
- Rio Arga
- Rio Robo

1. Albergue Padres Reparadores
2. Santiago Apóstol (Camping El Real)
3. Albergue Amalur
1. Albergue Estrella Guía
2. Albergue Puente
3. Jakue
1. Hostal Plaza
2. Hotel Bidean
3. Hotel El Cerco

See page 20 for town map of Mañeru

Cirauqui/Zirauki

- A-12
- Na-1110
- Roman bridge
- Church of San Román

1. Albergue Cirauqui Casa Maralotx

Bustince

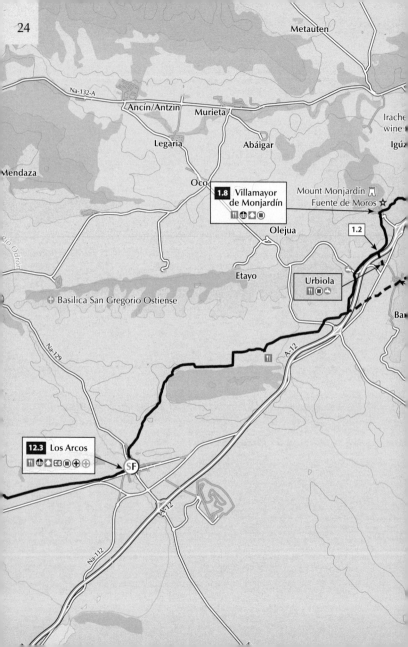

Metauten

Na-132-A

Ancín/Antzin   Murieta

Irache
wine

Legaria   Abáigar   Igúz

Mendaza

Oco

1.8 **Villamayor
de Monjardín**

Mount Monjardín 🏰
Fuente de Moros ☆

Olejua

1.2

Etayo

Urbiola

✠ Basílica San Gregorio Ostiense

A-12

Na-129

12.3 **Los Arcos**

SF

A-12

Na-112

Ba

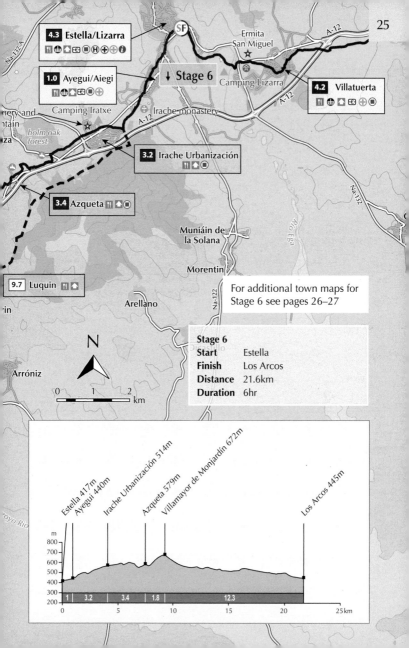

4.3 Estella/Lizarra

1.0 Ayegui/Aiegi

↓ **Stage 6**

Ermita
San Miguel

Camping Lizarra

4.2 Villatuerta

Camping Iratxe

Irache monastery

3.2 Irache Urbanización

holm oak
forest

3.4 Azqueta

Muniáin de
la Solana

Morentin

9.7 Luquin

Arellano

For additional town maps for
Stage 6 see pages 26–27

N

0   1   2
km

Arróniz

Stage 6
Start   Estella
Finish   Los Arcos
Distance   21.6km
Duration   6hr

Estella 417m
Ayegui 440m
Irache Urbanización 514m
Azqueta 579m
Villamayor de Monjardín 672m
Los Arcos 445m

| 1 | 3.2 | 3.4 | 1.8 | 12.3 |

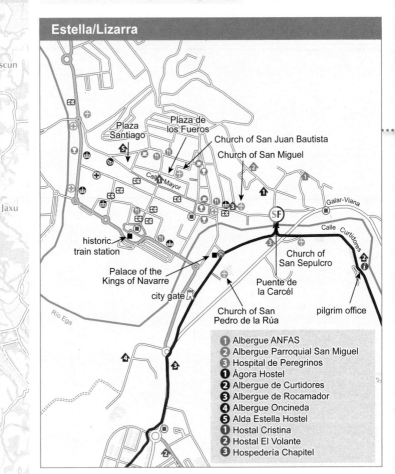

Estella/Lizarra

Plaza Santiago

Plaza de los Fueros

Church of San Juan Bautista

Church of San Miguel

Calle Mayor

Galar-Viana

historic train station

Calle Curtidores

Church of San Sepulcro

Palace of the Kings of Navarre

city gate

Puente de la Carcél

Río Ega

Church of San Pedro de la Rúa

pilgrim office

1 Albergue ANFAS
2 Albergue Parroquial San Miguel
3 Hospital de Peregrinos
1 Ágora Hostel
2 Albergue de Curtidores
3 Albergue de Rocamador
4 Albergue Oncineda
5 Alda Estella Hostel
1 Hostal Cristina
2 Hostal El Volante
3 Hospedería Chapitel

hescun

Jaxu

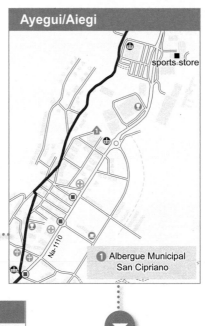

Ayegui/Aiegi

sports store

Na-1110

1 Albergue Municipal San Cipriano

Los Arcos

Na-129

Calle Mayor

Río Odrón

Arch of Felipe V

SF

Santa María de la Asunción

1 Albergue Isaac Santiago
2 Fuente Casa de Austria
1 Albergue Casa de la Abuela
2 Casa Alberdi
1 Hotel Mónaco
2 Pensión Los Arcos
3 Pensión Mavi
4 Pensión Ostadar

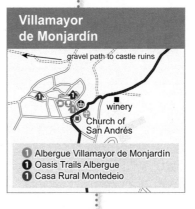

Villamayor de Monjardín

gravel path to castle ruins

winery

Church of San Andrés

1 Albergue Villamayor de Monjardín
1 Oasis Trails Albergue
1 Casa Rural Montedeio

Bustince-

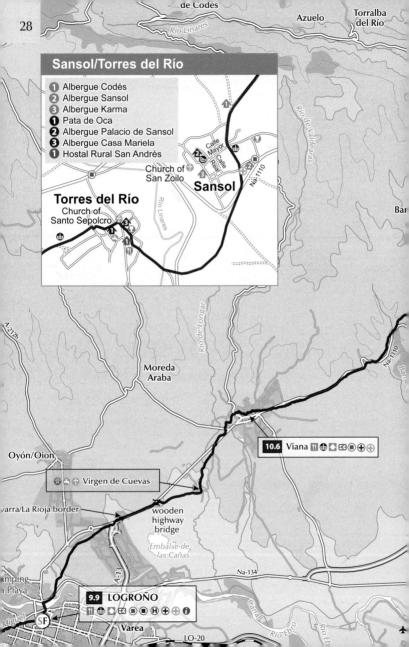

Sansol/Torres del Río

1. Albergue Codés
2. Albergue Sansol
3. Albergue Karma
1. Pata de Oca
2. Albergue Palacio de Sansol
3. Albergue Casa Mariela
1. Hostal Rural San Andrés

Church of San Zoilo

Sansol

Calle Mayor

Calle Real

Torres del Río

Church of Santo Sepolcro

de Codés

Azuelo

Torralba del Río

Río Linares

Río de Valderas

Na-1110

Bar

A-2126

Río de Longar

Moreda Araba

Na-1110

Bara

10.6 Viana

Oyón/Oion

Virgen de Cuevas

Navarra/La Rioja border

wooden highway bridge

Embalse de las Cañas

Na-134

mping a Playa

9.9 LOGROÑO

SF

Varea

Miguel

A-73

LO-20

Canal

Río Ebro

Río Ebro

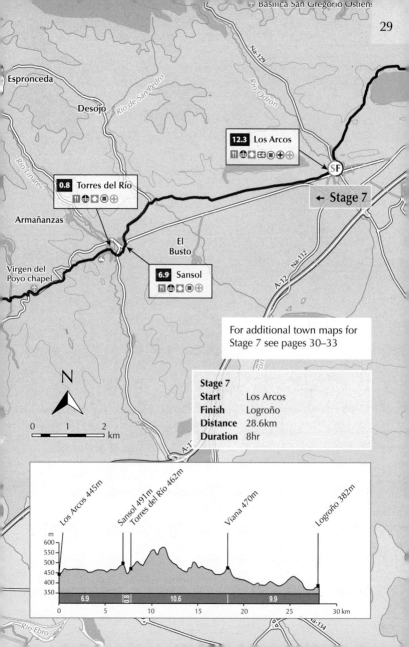

Basílica San Gregorio Ostiens

Esproncanda

Desojo

12.3 Los Arcos

0.8 Torres del Río

Armañanzas

El Busto

Virgen del Poyo chapel

6.9 Sansol

← Stage 7

For additional town maps for Stage 7 see pages 30–33

Stage 7
Start Los Arcos
Finish Logroño
Distance 28.6km
Duration 8hr

N

0   1   2
└────┴────┘ km

Los Arcos 445m

Sansol 491m
Torres del Río 462m

Viana 470m

Logroño 382m

m
600
550
500
450
400
350

6.9   0.8   10.6   9.9

0   5   10   15   20   25   30 km

Rio Ebro

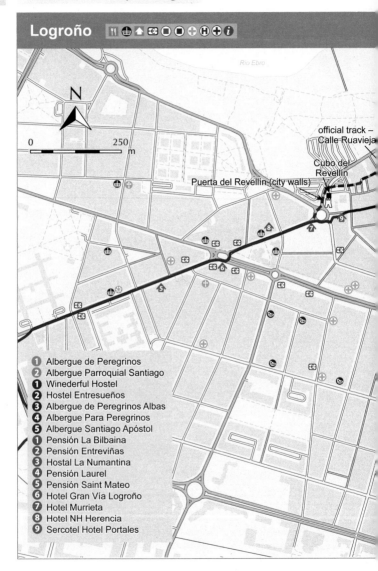

Logroño

official track –
Calle Ruavieja

Cubo del
Revellín

Puerta del Revellín (city walls)

Rio Ebro

N

0   250
        m

1 Albergue de Peregrinos
2 Albergue Parroquial Santiago
1 Winederful Hostel
2 Hostel Entresueños
3 Albergue de Peregrinos Albas
4 Albergue Para Peregrinos
5 Albergue Santiago Apóstol
1 Pensión La Bilbaina
2 Pensión Entreviñas
3 Hostal La Numantina
4 Pensión Laurel
5 Pensión Saint Mateo
6 Hotel Gran Vía Logroño
7 Hotel Murrieta
8 Hotel NH Herencia
9 Sercotel Hotel Portales

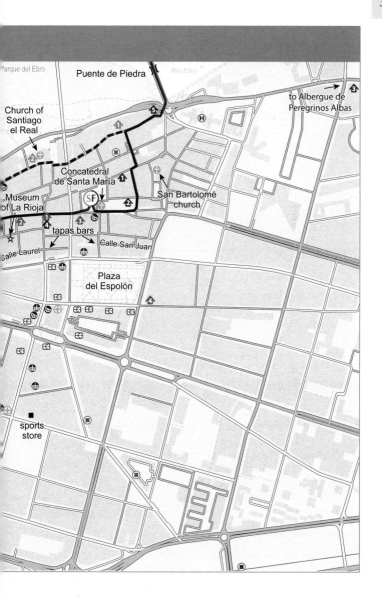

Parque del Ebro

Puente de Piedra

Río Ebro

to Albergue de
Peregrinos Albas

Church of
Santiago
el Real

Concatedral
de Santa María

San Bartolomé
church

Museum
of La Rioja

tapas bars

Calle Laurel

Calle San Juan

Plaza
del Espolón

sports
store

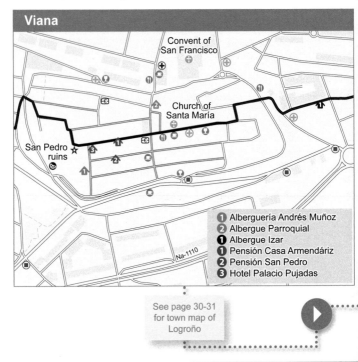

Viana

Convent of San Francisco

Church of Santa María

San Pedro ruins

Na-1110

1 Alberguería Andrés Muñoz
2 Albergue Parroquial
1 Albergue Izar
1 Pensión Casa Armendáriz
2 Pensión San Pedro
3 Hotel Palacio Pujadas

See page 30-31
for town map of
Logroño

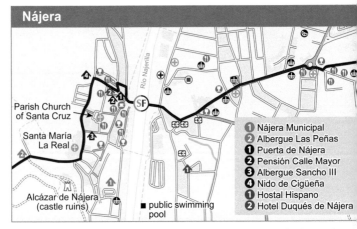

Nájera

Río Najerilla

Parish Church of Santa Cruz

Santa María La Real

Alcázar de Nájera (castle ruins)

■ public swimming pool

1 Nájera Municipal
2 Albergue Las Peñas
1 Puerta de Nájera
2 Pensión Calle Mayor
3 Albergue Sancho III
4 Nido de Cigüeña
1 Hostal Hispano
2 Hotel Duqués de Nájera

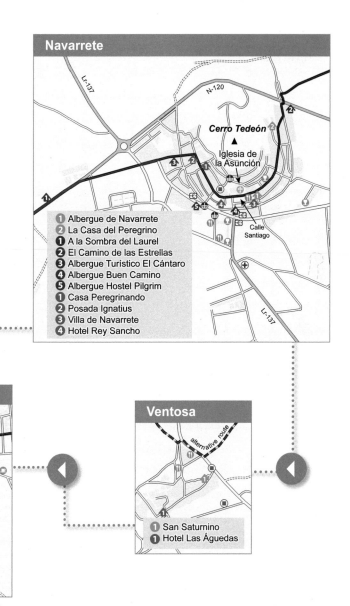

Navarrete

Cerro Tedeón ▲

Iglesia de la Asunción

Calle Santiago

1 Albergue de Navarrete
2 La Casa del Peregrino
1 A la Sombra del Laurel
2 El Camino de las Estrellas
3 Albergue Turístico El Cántaro
4 Albergue Buen Camino
5 Albergue Hostel Pilgrim
1 Casa Peregrinando
2 Posada Ignatius
3 Villa de Navarrete
4 Hotel Rey Sancho

Ventosa

alternative route

1 San Saturnino
1 Hotel Las Águedas

Bustince

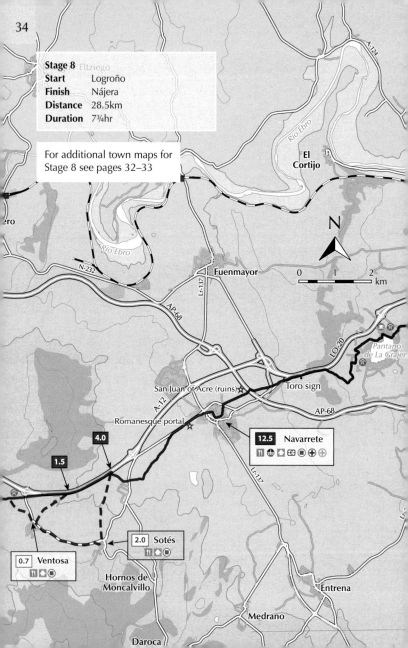

Stage 8
Start   Logroño
Finish   Nájera
Distance 28.5km
Duration 7¾hr

For additional town maps for
Stage 8 see pages 32–33

El Cortijo

Eltziego

Río Ebro

Río Ebro

N-232

AP-68

Fuenmayor

Lr-137

N

0   1   2
km

LO-20

Pantano de La Grajer

San Juan of Acre (ruins) ☆

Toro sign

AP-68

Romanesque portal ☆

A-12

4.0

1.5

12.5 Navarrete
🍴 ⛪ 🏠 🏧 🔵 ⊕ ✛

Lr-137

2.0 Sotés
🍴 🏠 🔵

0.7 Ventosa
🍴 🏠 🔵

Hornos de Moncalvillo

Entrena

Medrano

Daroca

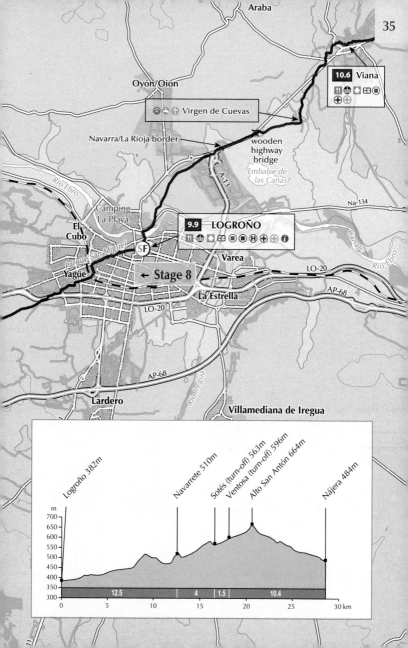

Stage 9
Start Nájera
Finish Santo Domingo de la Calzada
Distance 22.1km (including Cirueña café detour)
Duration 6hr

Torremontalbo

San Asensio

AP-68

N-232

AP-68

Lr-113

Lr-208

Hormilleja

Río Tuerto

Uruñuela

Río Yalde

Huércanos

N-120

Hormilla

A-12

Río Najerilla

10.4 Nájera

6.2 Azofra

Cross of Nájera ☆

SF

← **Stage 9**

food truc

N-120

Alesón

Tricio

Lr-136

Manjarrés

na de Abajo

Arenzana
de Arriba

Bezare

Azofra

Río Tuerto

Lr-206

Nuestra Señora
de los Ángeles

1 Azofra Municipal Albergue
1 Pensión La Plaza
2 Hotel Boutique Real Casona

Lr-205

Canal Margen Derecha Naterilla

Canal Margen Iz

darán

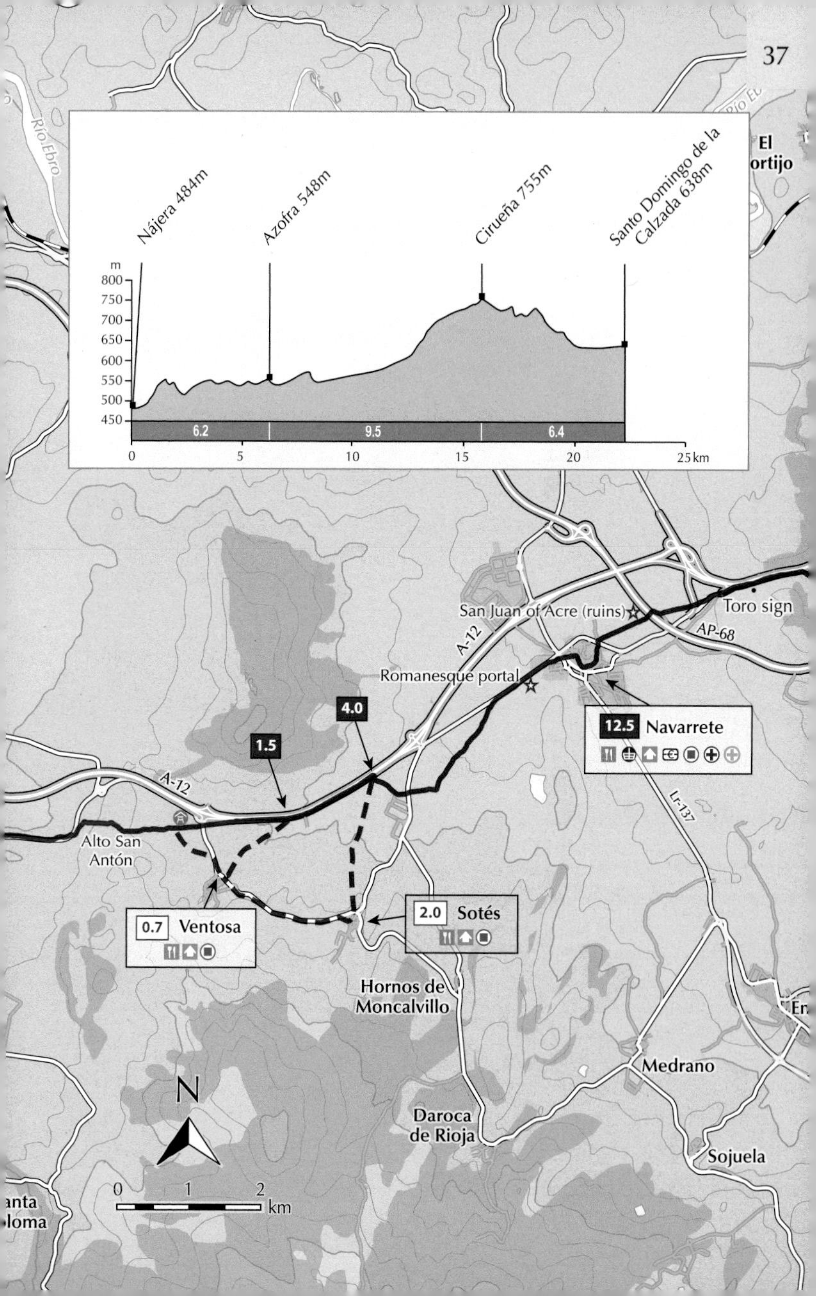

Elevation profile labels: Nájera 484m, Azofra 548m, Cirueña 755m, Santo Domingo de la Calzada 638m

Distances: 6.2, 9.5, 6.4

Map labels:
El ortijo
San Juan of Acre (ruins)
Toro sign
AP-68
A-12
Romanesque portal
4.0
1.5
12.5 Navarrete
A-12
Alto San Antón
0.7 Ventosa
2.0 Sotés
LR-137
Hornos de Moncalvillo
Er
Medrano
Daroca de Rioja
Sojuela
anta loma
N
0 1 2 km

Ochánduri

Castañares de Rioja

Baños de Rioja

Lr-111

Villalobar de Rioja

Stage 10
Start Santo Domingo
Finish Belorado
Distance 22.5km
Duration 6¼km

For additional town maps for
Stage 10 see pages 42–43

Arroyo de Ho

Rio Relachigo

Rio Oja

Lr-201

Arroyo de Majuelos

N

0   1   2
km

Baña

Lr-203

N-120

Cruz de los Valientes

**6.4 Santo Domingo
de la Calzada**

A-12

6.5 Grañón

Oja River bridge

SF

municipal football field

Lr-204

← Stage 10

Corporales

pilgrim
sculp

0.5

Manz
de

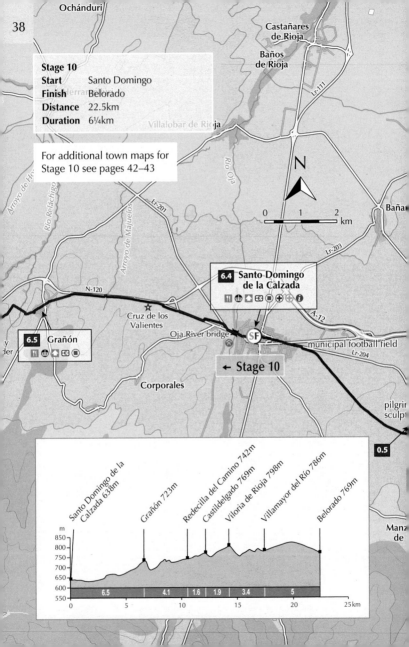

Santo Domingo de la Calzada 638m	Grañón 723m	Redecilla del Camino 742m	Castildelgado 769m	Viloria de Rioja 798m	Villamayor del Río 786m	Belorado 769m

m						
850						
800						
750						
700						
650						
600						
550						

6.5	4.1	1.6	1.9	3.4	5

0   5   10   15   20   25km

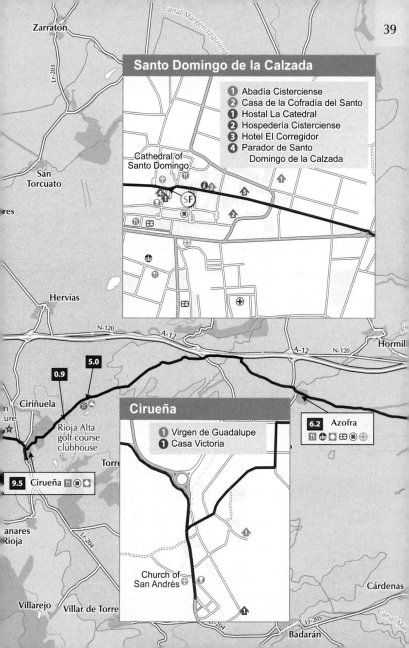

Santo Domingo de la Calzada

1 Abadía Cisterciense
2 Casa de la Cofradía del Santo
1 Hostal La Catedral
2 Hospedería Cisterciense
3 Hotel El Corregidor
4 Parador de Santo Domingo de la Calzada

Zarratón

Canal Margen Izquierd

San Torcuato

res

Cathedral of Santo Domingo

Hervías

N-120

A-12

A-12   N-120   Hormil

Ciriñuela

0.9   5.0

Rioja Alta golf course clubhouse

Cirueña

1 Virgen de Guadalupe
1 Casa Victoria

6.2   Azofra

9.5   Cirueña

Torre

Church of San Andrés

Villarejo   Villar de Torre

anares Rioja

Lr-204

Cárdenas

Badarán

Lr-205

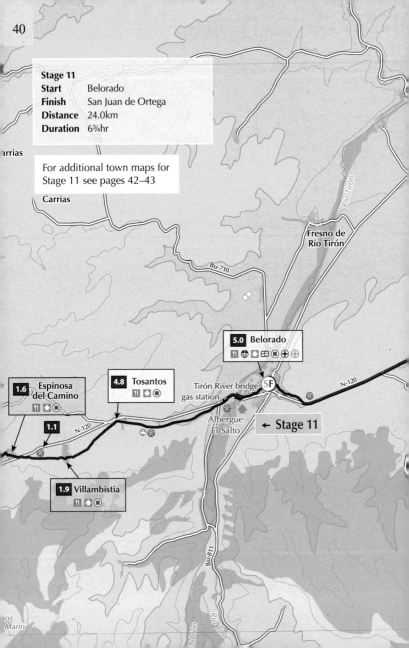

Stage 11
Start Belorado
Finish San Juan de Ortega
Distance 24.0km
Duration 6¾hr

For additional town maps for
Stage 11 see pages 42–43

arrias

Carrias

Fresno de
Río Tirón

Bu-710

Río Tirón

5.0 Belorado

Espinosa
1.6 del Camino

4.8 Tosantos

Tirón River bridge
gas station

N-120

1.1

Albergue
El Salto

← Stage 11

N-120

1.9 Villambistia

Bu-911

Río Tirón

Urbión

os
Marin

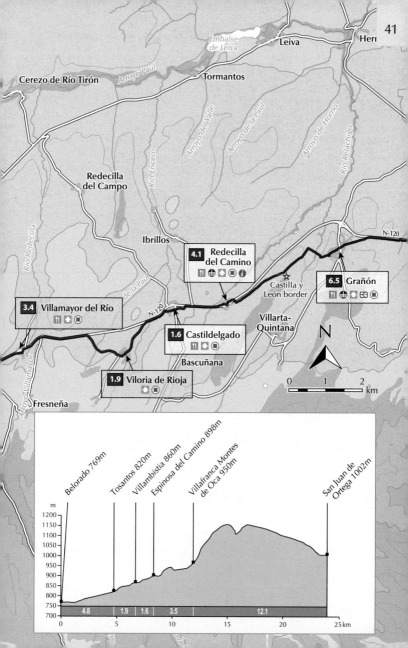

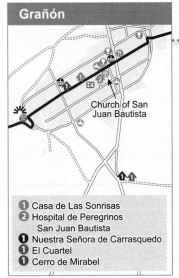

Grañón

Church of San Juan Bautista

1 Casa de Las Sonrisas
2 Hospital de Peregrinos
   San Juan Bautista
1 Nuestra Señora de Carrasquedo
1 El Cuartel
1 Cerro de Mirabel

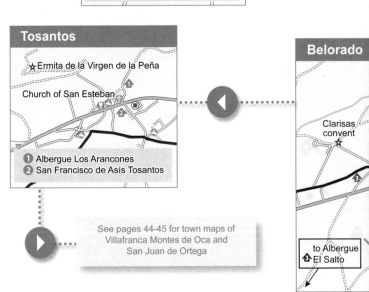

Tosantos

★ Ermita de la Virgen de la Peña

Church of San Esteban

1 Albergue Los Arancones
2 San Francisco de Asís Tosantos

Belorado

Clarisas convent

to Albergue
El Salto

See pages 44-45 for town maps of
Villafranca Montes de Oca and
San Juan de Ortega

scun

Jaxu

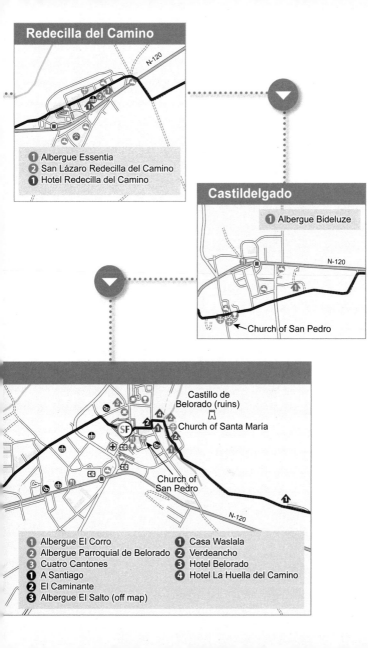

Redecilla del Camino

N-120

1 Albergue Essentia
2 San Lázaro Redecilla del Camino
1 Hotel Redecilla del Camino

Castildelgado

1 Albergue Bideluze

N-120

Church of San Pedro

Bustin

Castillo de
Belorado (ruins)
Church of Santa María

SF

Church of
San Pedro

N-120

1 Albergue El Corro
2 Albergue Parroquial de Belorado
3 Cuatro Cantones
1 A Santiago
2 El Caminante
3 Albergue El Salto (off map)

1 Casa Waslala
2 Verdeancho
3 Hotel Belorado
4 Hotel La Huella del Camino

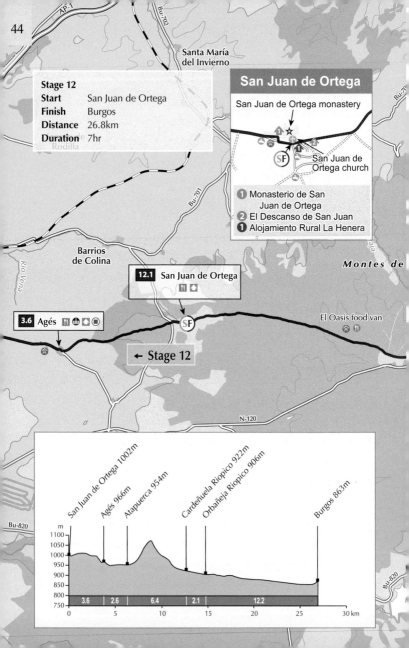

Santa María
del Invierno

Stage 12
Start San Juan de Ortega
Finish Burgos
Distance 26.8km
Duration 7hr

Rodilla

San Juan de Ortega

San Juan de Ortega monastery

San Juan de
Ortega church

1 Monasterio de San
Juan de Ortega
2 El Descanso de San Juan
1 Alojamiento Rural La Henera

Barrios
de Colina

Río Vena

Montes de

12.1 San Juan de Ortega

3.6 Agés

El Oasis food van

SF

← **Stage 12**

N-120

Bu-820

San Juan de Ortega 1002m
Agés 966m
Atapuerca 954m
Cardeñuela Ríopico 922m
Orbañeja Ríopico 906m
Burgos 863m

3.6	2.6	6.4	2.1	12.2	

m
1100
1050
1000
950
900
850
800
750

0   5   10   15   20   25   30 km

Bu-820

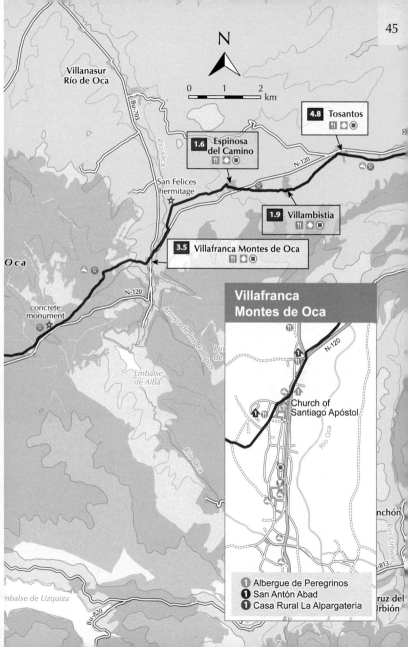

N

0   1   2 km

Villanasur
Río de Oca

Bu-703

Río Oca

Espinosa
1.6 del Camino
🍴 🏠 ⊙

4.8 Tosantos
🍴 🏠 ⊙

San Felices
hermitage
☆

N-120

Villambistia
1.9 🍴 🏠 ⊙

3.5 Villafranca Montes de Oca
🍴 🏠 ⊙

Oca

N-120

concrete
monument
🏠 ☆

Arroyo de los Campos

Pin
de

Embalse
de Alba

Río Oca

**Villafranca
Montes de Oca**

🍴

N-120

🏠

Church of
Santiago Apóstol

🏠

Río Oca

nchón

Río Urbión

mbalse de Uzquiza

Bu-820

Bu-813

ruz del
Urbión

1 Albergue de Peregrinos
1 San Antón Abad
1 Casa Rural La Alpargatería

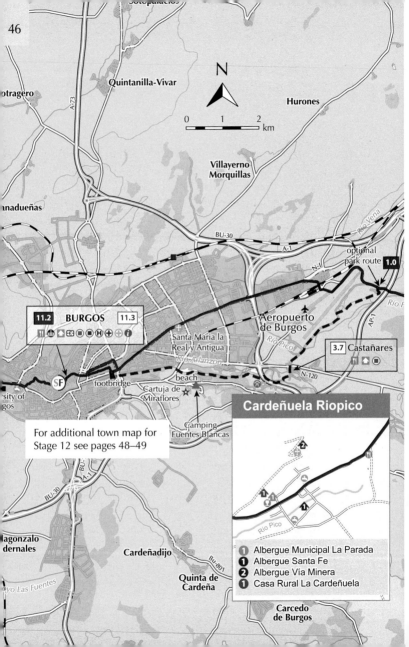

N

0   1   2 km

Sotopalacios

Quintanilla-Vivar

Hurones

otragero

Villayerno
Morquillas

anadueñas

BU-30

A-1

Río Vena

optional
park route **1.0**

11.2 **BURGOS** **11.3**

Aeropuerto
de Burgos

Santa María la
Real y Antigua

Río Pico

3.7 Castañares

footbridge

beach

Río Arlanzón

N-120

sity of
gos

SF

Cartuja de
Miraflores

Camping
Fuentes Blancas

For additional town map for
Stage 12 see pages 48–49

BU-3

A-1

agonzalo
dernales

Cardeñadijo

BU-801

Quinta de
Cardeña

yo Las Fuentes

Carcedo
de Burgos

Cardeñuela Riopico

Río Pico

1 Albergue Municipal La Parada
1 Albergue Santa Fe
2 Albergue Vía Minera
1 Casa Rural La Cardeñuela

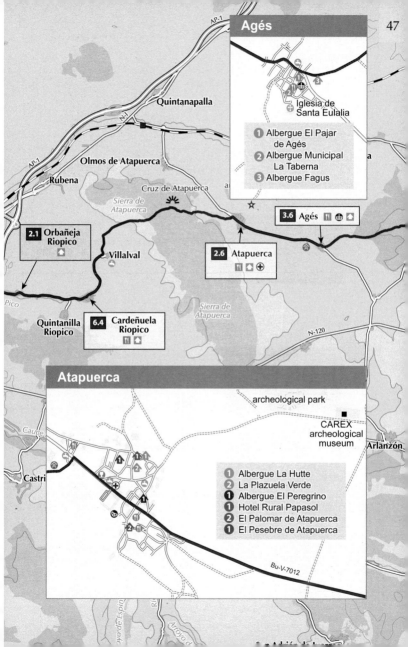

Agés

Iglesia de
Santa Eulalia

1 Albergue El Pajar
de Agés
2 Albergue Municipal
La Taberna
3 Albergue Fagus

Quintanapalla

Olmos de Atapuerca

Rúbena

Cruz de Atapuerca

Sierra de
Atapuerca

3.6 Agés

2.1 Orbañeja
Riopico

Villalval

2.6 Atapuerca

Quintanilla
Riopico

6.4 Cardeñuela
Riopico

Sierra de
Atapuerca

N-120

Atapuerca

archeological park

CAREX
archeological
museum

Arlanzón

Castri

1 Albergue La Hutte
2 La Plazuela Verde
1 Albergue El Peregrino
1 Hotel Rural Papasol
2 El Palomar de Atapuerca
1 El Pesebre de Atapuerca

Bu-V-7012

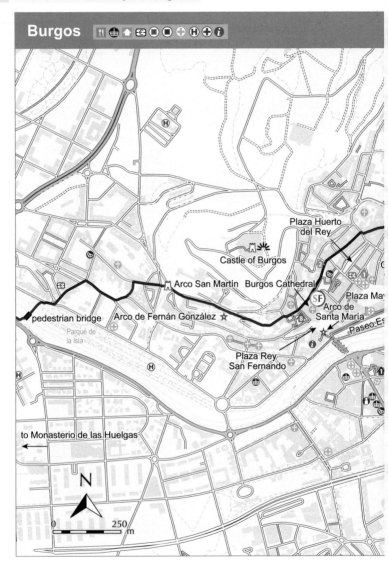

Burgos

Plaza Huerto del Rey

Castle of Burgos

Arco San Martín   Burgos Cathedral

pedestrian bridge

Arco de Fernán González ☆

Parque de la Isla

Arco de Santa María

Plaza May

Paseo Es

Plaza Rey San Fernando

to Monasterio de las Huelgas

N

0   250
         m

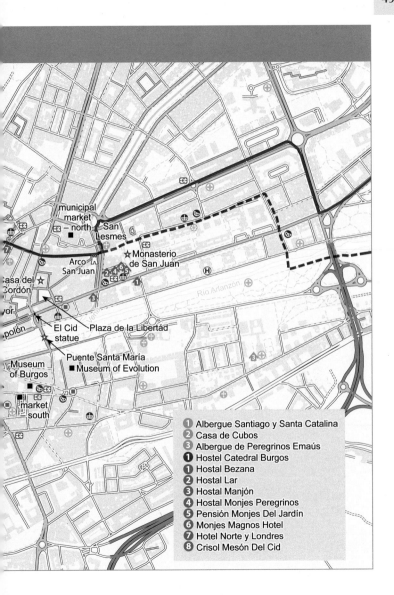

municipal market – north
San Lesmes
☆ Monasterio de San Juan
Arco San Juan
Casa del Cordón ☆
yor
polón
El Cid statue
Plaza de la Libertád
Puente Santa María
Museum of Evolution
Museum of Burgos
market south
Rio Arlanzón

❶ Albergue Santiago y Santa Catalina
❷ Casa de Cubos
❸ Albergue de Peregrinos Emaús
❶ Hostel Catedral Burgos
❶ Hostal Bezana
❷ Hostal Lar
❸ Hostal Manjón
❹ Hostal Monjes Peregrinos
❺ Pensión Monjes Del Jardín
❻ Monjes Magnos Hotel
❼ Hotel Norte y Londres
❽ Crisol Mesón Del Cid

Section 3: Burgos to León

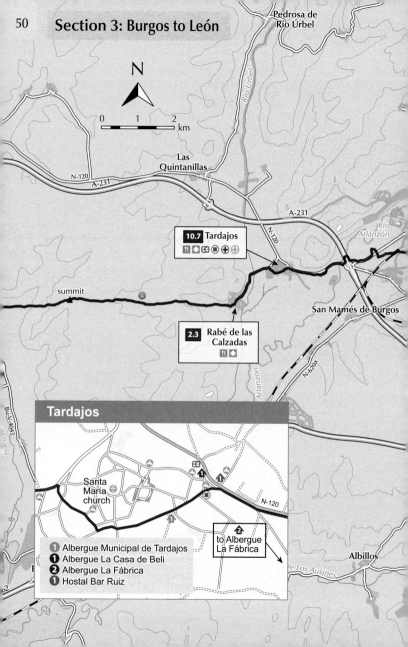

N

0 · 1 · 2 km

Pedrosa de
Río Úrbel

Río Úrbel

Las
Quintanillas

N-120 · A-231

A-231

Río
Arlanzón

10.7 Tardajos

N-120

summit

San Mamés de Burgos

2.3 Rabé de las
Calzadas

Arlanzón

N-620a

Bu-V-4043

zuela

Tardajos

Santa
María
church

N-120

to Albergue
2 La Fábrica

Albillos

de Los Ausines

❶ Albergue Municipal de Tardajos
❶ Albergue La Casa de Beli
❷ Albergue La Fábrica
❶ Hostal Bar Ruiz

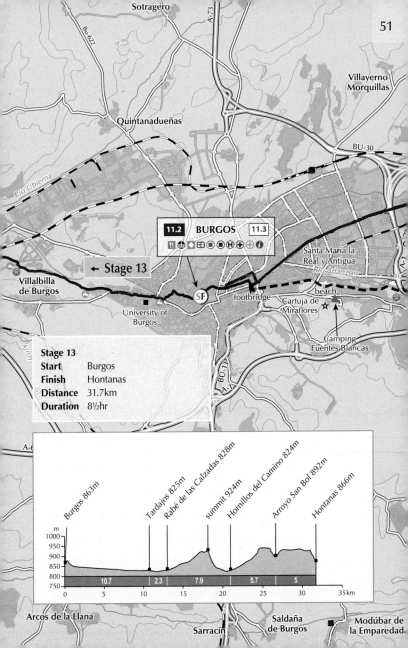

Sotragero

Villayerno
Morquillas

Quintanadueñas

BU-30

11.2 BURGOS **11.3**

← Stage 13

Santa María la
Real y Antigua

Villalbilla
de Burgos

Río Arlanzón

footbridge

beach

Cartuja de
Miraflores

University of
Burgos

Camping
Fuentes Blancas

Stage 13	
Start	Burgos
Finish	Hontanas
Distance	31.7km
Duration	8½hr

A-6

Arcos de la Llana

Sarracín

Saldaña
de Burgos

Modúbar de
la Emparedad...

Elevation profile:

Burgos 863m
Tardajos 825m
Rabé de las Calzadas 828m
summit 924m
Hornillos del Camino 824m
Arroyo San Bol 892m
Hontanas 866m

10.7 2.3 7.9 5.7 5

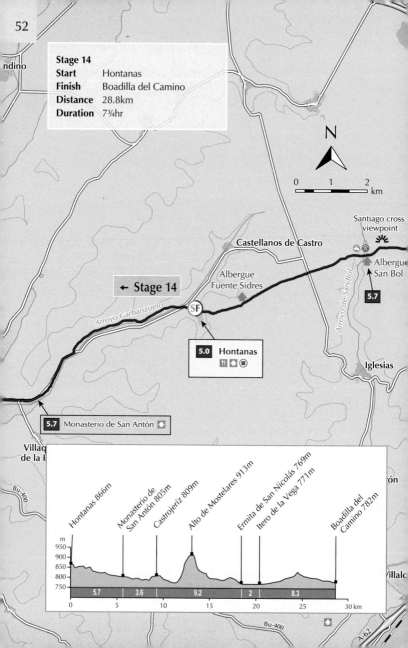

Stage 14
Start Hontanas
Finish Boadilla del Camino
Distance 28.8km
Duration 7¾hr

Villanueva de Argaño

Las Quintanillas

N-120

A-231

A-231

N-120

Isar

Bu-V-4043

3.0 → summit

2.3 Rabé de las Calzadas

7.9 Hornillos del Camino

Bu-V-4043

Río Hormazuela

Rabé de las Calzadas

Buni dovínez

Río Urbel

Arlanzón

Santa Marina church

❶ Albergue Libéranos Domine
❶ Hostal La Fuente de Rabé

Hornillos del Camino

Cay

Celad del Cam

Río Hormazuela

Río Arl

Río Arlanzón

Río anzón

Río Hormazuela

❶ Albergue de Hornillos del Camino
❷ Albergue El Afar
❶ Hornillos Meeting Point
❷ La Casa del Abuelo
❶ Casa Rural De Sol A Sol

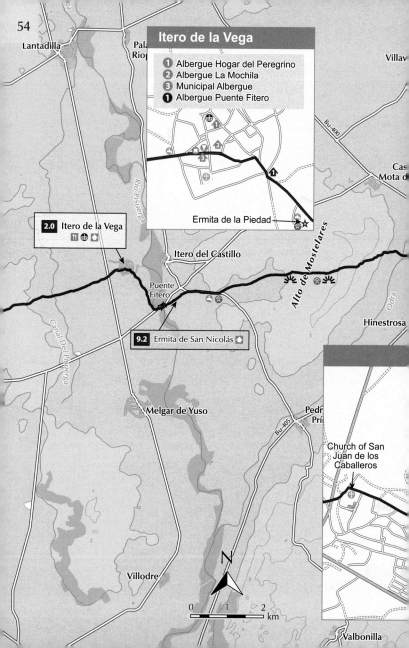

Lantadilla

Pala
Riop

Villav

Itero de la Vega

1. Albergue Hogar del Peregrino
2. Albergue La Mochila
3. Municipal Albergue
4. Albergue Puente Fitero

Cas
Mota d

Bu-400

Ermita de la Piedad

2.0 Itero de la Vega

Río Pisuerga

Itero del Castillo

Alto de Mostelares

Puente
Fitero

Odra

Hinestrosa

9.2 Ermita de San Nicolás

Canal Del Pisuerga

Melgar de Yuso

Pedr
Prí

Bu-405

Church of San
Juan de los
Caballeros

Villodre

N

0   1   2
km

Valbonilla

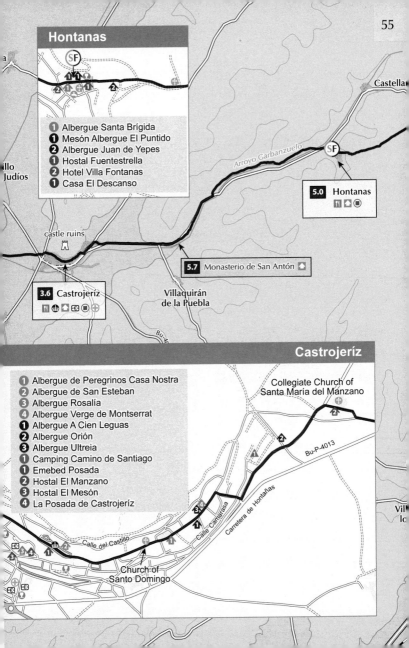

Hontanas

Castella

1 Albergue Santa Brígida
1 Mesón Albergue El Puntido
2 Albergue Juan de Yepes
1 Hostal Fuentestrella
2 Hotel Villa Fontanas
1 Casa El Descanso

Arroyo Garbanzuelo

illo
Judíos

5.0 Hontanas

castle ruins

5.7 Monasterio de San Antón

3.6 Castrojeríz

Villaquirán
de la Puebla

Castrojeríz

1 Albergue de Peregrinos Casa Nostra
2 Albergue de San Esteban
3 Albergue Rosalía
4 Albergue Verge de Montserrat
1 Albergue A Cien Leguas
2 Albergue Orión
3 Albergue Ultreia
1 Camping Camino de Santiago
1 Emebed Posada
2 Hostal El Manzano
3 Hostal El Mesón
4 La Posada de Castrojeríz

Collegiate Church of
Santa María del Manzano

Bu-P-4013

Calle Cantarasa

Carretera de Hontanas

Calle del Castillo

Church of
Santo Domingo

Vil
lo

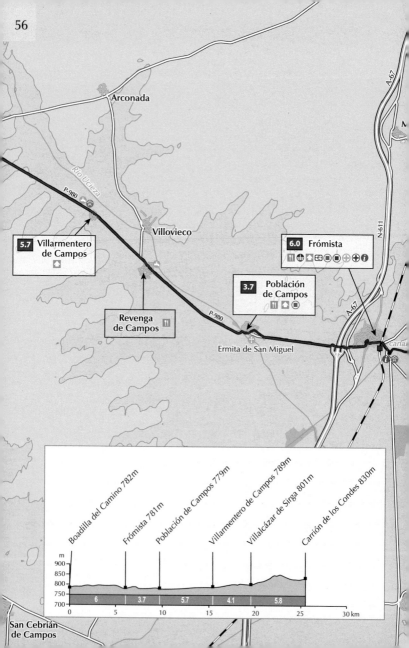

Arconada

Río Ucieza

P-980

5.7 Villarmentero de Campos

Villovieco

Revenga de Campos

P-980

6.0 Frómista

3.7 Población de Campos

Ermita de San Miguel

A-67

N-611

A-67

Profile (elevation chart):

Boadilla del Camino 782m · Frómista 781m · Población de Campos 779m · Villarmentero de Campos 789m · Villalcázar de Sirga 801m · Carrión de los Condes 830m

m 900 850 800 750 700

6 — 3.7 — 5.7 — 4.1 — 5.8

0 5 10 15 20 25 30 km

San Cebrián de Campos

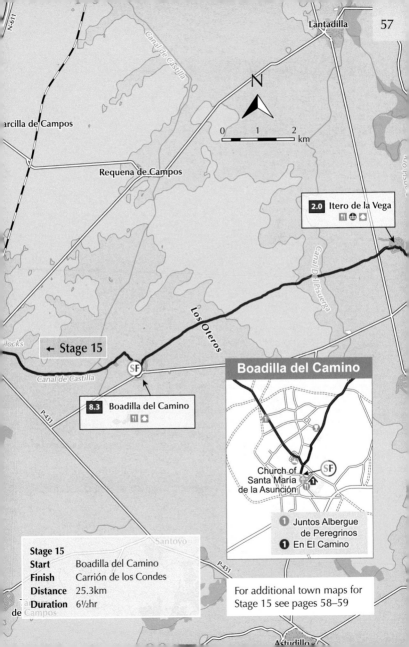

arcilla de Campos

N

0 1 2 km

Requena de Campos

2.0 Itero de la Vega

Canal De Pisuerga

← Stage 15

locks

Canal de Castilla

Los Oteros

SF

8.3 Boadilla del Camino

P-431

Santoyo

Boadilla del Camino

Church of
Santa María
de la Asunción

SF

1 Juntos Albergue
de Peregrinos
1 En El Camino

Stage 15
Start Boadilla del Camino
Finish Carrión de los Condes
Distance 25.3km
Duration 6½hr

For additional town maps for
Stage 15 see pages 58–59

de Campos

Astudillo

Frómista

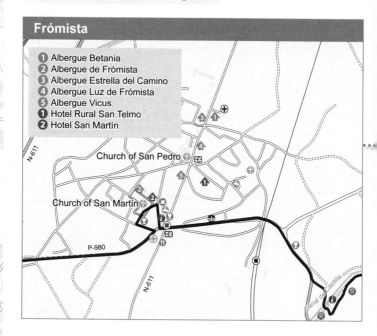

1 Albergue Betania
2 Albergue de Frómista
3 Albergue Estrella del Camino
4 Albergue Luz de Frómista
5 Albergue Vicus
1 Hotel Rural San Telmo
2 Hotel San Martín

Church of San Pedro

Church of San Martín

Villalcázar de Sirga

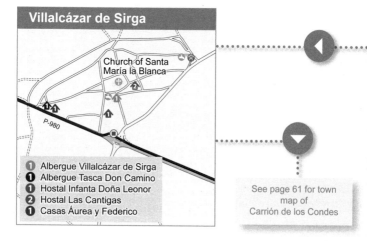

Church of Santa María la Blanca

1 Albergue Villalcázar de Sirga
1 Albergue Tasca Don Camino
1 Hostal Infanta Doña Leonor
2 Hostal Las Cantigas
1 Casas Áurea y Federico

See page 61 for town
map of
Carrión de los Condes

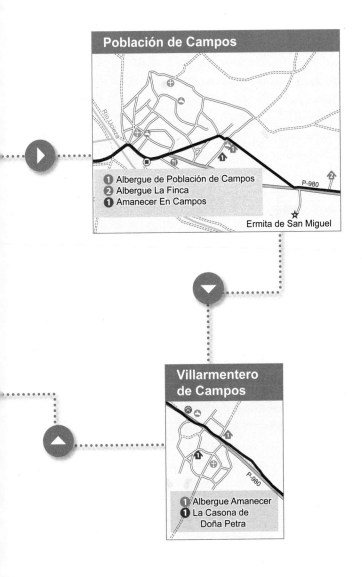

Población de Campos

1 Albergue de Población de Campos
2 Albergue La Finca
1 Amanecer En Campos

P-980

Ermita de San Miguel

Villarmentero de Campos

P-980

1 Albergue Amanecer
1 La Casona de Doña Petra

Bustinc

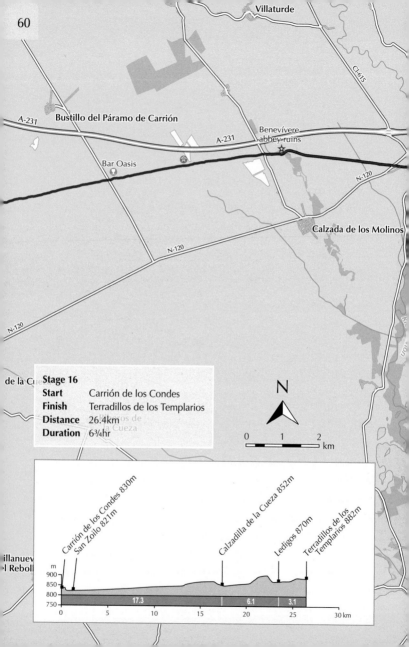

Villaturde

A-231 Bustillo del Páramo de Carrión

Benevívere abbey-ruins

A-231

Bar Oasis

N-120

Calzada de los Molinos

CL-615

N-120

N-120

N-120

de la Cu...

Stage 16
Start Carrión de los Condes
Finish Terradillos de los Templarios
Distance 26.4km
Duration 6¾hr

N

0 1 2 km

Carrión de los Condes 830m
San Zoilo 821m
Calzadilla de la Cueza 852m
Ledigos 870m
Terradillos de los Templarios 882m

m
900
850
800
750

17.3   6.1   3.1

0   5   10   15   20   25   30 km

illanuev...
·l Reboll...

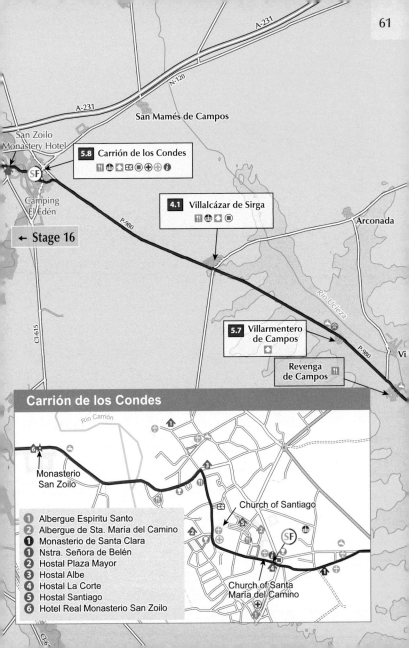

Stage 17A
Start Terradillos de los Templarios
Finish Bercianos del Real Camino
Distance 24.5km
Duration 6½hr

For additional town maps for Stage 17A see pages 66–67

Lagartos

Río Sequillo

3.1 Terradillos de los Templarios

← Stage 17A & 17B

A-231

N-120

SF

2.8 San Nicolás del Real Camino

3.4 Moratinos

6.1 Ledigos

N-120

P-905

Río Templarios

Poblacíon de Arroyo

Río Cueza

Stage 17A

Terradillos de los Templarios 882m

Moratinos 858m

San Nicolás del Real Camino 840m

Sahagún 813m

Bercianos del Real Camino 853m

m
900
850
800
750

| 3.4 | 2.8 | 8.2 | 10 |

0   5   10   15   20   25 km

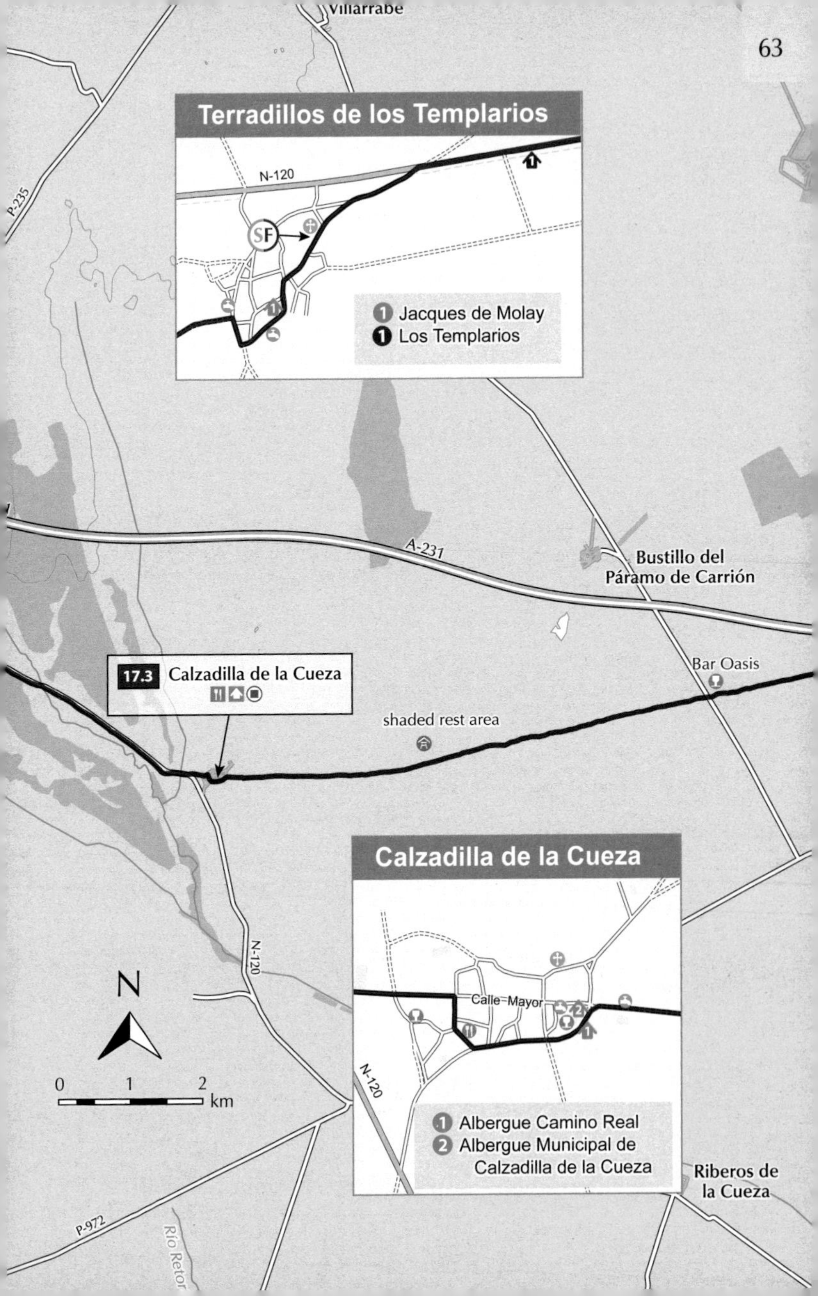

Villarrabe

P-225

Terradillos de los Templarios

N-120

SF

❶ Jacques de Molay
❶ Los Templarios

A-231

Bustillo del Páramo de Carrión

Bar Oasis

17.3 Calzadilla de la Cueza

shaded rest area

N-120

Calzadilla de la Cueza

Calle Mayor

❶ Albergue Camino Real
❷ Albergue Municipal de Calzadilla de la Cueza

Riberos de la Cueza

N

0   1   2 km

N-120

P-972

Río Retor

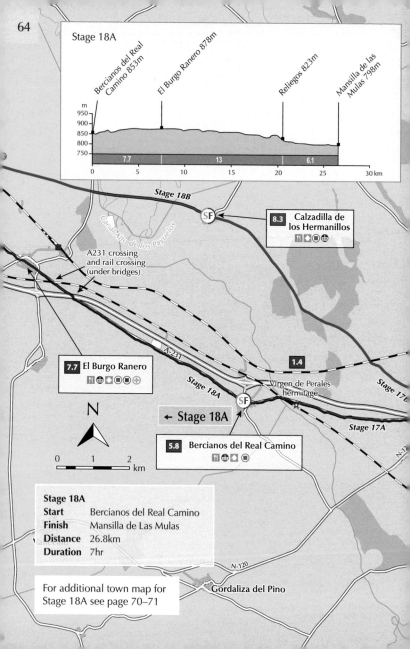

Stage 18A

Bercianos del Real Camino 853m
El Burgo Ranero 878m
Reliegos 823m
Mansilla de las Mulas 798m

7.7   13   6.1

Stage 18B

8.3 Calzadilla de los Hermanillos

A231 crossing and rail crossing (under bridges)

7.7 El Burgo Ranero

1.4

Virgen de Perales hermitage

Stage 18A

← Stage 18A

Stage 17b

Stage 17A

5.8 Bercianos del Real Camino

N

0   1   2 km

Stage 18A
Start   Bercianos del Real Camino
Finish   Mansilla de Las Mulas
Distance 26.8km
Duration 7hr

For additional town map for Stage 18A see page 70–71

Gordaliza del Pino

N-120

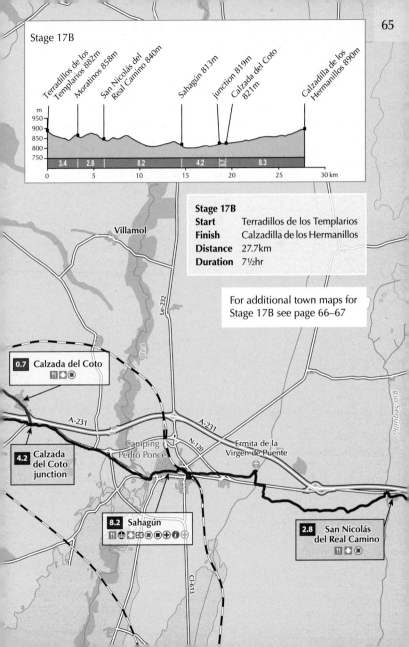

Stage 17B

Terradillos de los Templarios 882m
Moratinos 858m
San Nicolás del Real Camino 840m
Sahagún 813m
junction 819m
Calzada del Coto 821m
Calzadilla de los Hermanillos 890m

m
950
900
850
800
750

3.4 2.8 8.2 4.2 0.7 8.3

0   5   10   15   20   25   30 km

Stage 17B
Start   Terradillos de los Templarios
Finish   Calzadilla de los Hermanillos
Distance 27.7km
Duration 7½hr

For additional town maps for
Stage 17B see page 66–67

Villamol

0.7 Calzada del Coto

4.2 Calzada del Coto junction

Camping Pedro Ponce

Ermita de la Virgen de Puente

8.2 Sahagún

2.8 San Nicolás del Real Camino

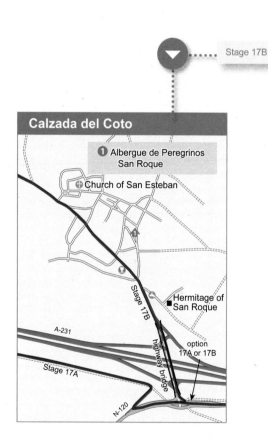

Stage 17B

Calzada del Coto

1 Albergue de Peregrinos San Roque

Church of San Esteban

Stage 17B

Hermitage of San Roque

A-231

highway bridge

option 17A or 17B

Stage 17A

N-120

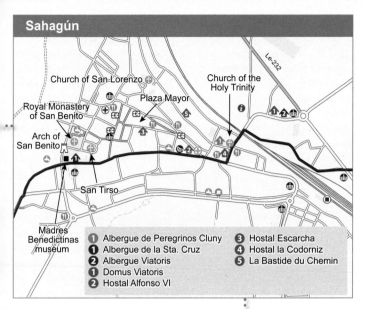

Sahagún

- Church of San Lorenzo
- Church of the Holy Trinity
- Plaza Mayor
- Royal Monastery of San Benito
- Arch of San Benito
- San Tirso
- Madres Benedictinas museum

1 Albergue de Peregrinos Cluny
1 Albergue de la Sta. Cruz
2 Albergue Viatoris
1 Domus Viatoris
2 Hostal Alfonso VI
3 Hostal Escarcha
4 Hostal la Codorniz
5 La Bastide du Chemin

Stage 17A

Bercianos del Real Camino

1 Albergue de Peregrinos
2 Bercianos 1900
1 Albergue La Perala
2 Albergue Santa Clara
1 Hostal Rivero
2 El Sueve

Bustin

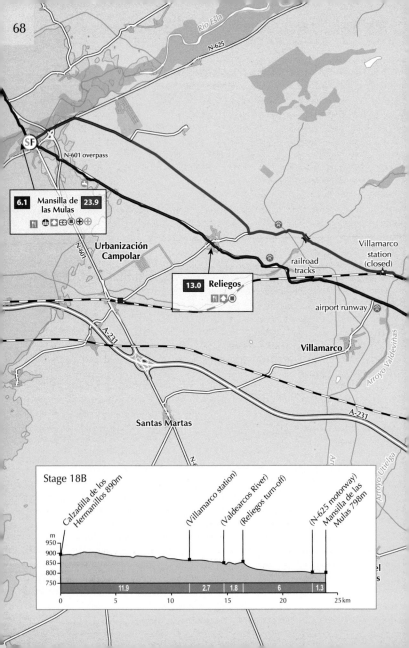

Río Esla

N-625

SF

N-601 overpass

6.1 Mansilla de las Mulas **23.9**

Urbanización Campolar

N-601

13.0 Reliegos

Villamarco station (closed)

railroad tracks

airport runway

A-231

Villamarco

Arroyo Valdeviñas

Santas Martas

A-231

Arroyo Utielga

Stage 18B

Calzadilla de los Hermanillos 890m

(Villamarco station)

(Valdearcos River)

(Reliegos turn-off)

(N-625 motorway)
Mansilla de las Mulas 798m

11.9	2.7	1.8	6	1.3

m
950
900
850
800
750

0   5   10   15   20   25 km

Stage 18B
Start Calzadilla de los Hermanillos
Finish Mansilla de Las Mulas
Distance 23.9km
Duration 6hr

For additional town map for
Stage 18B see page 70–71

Villamuñío

Canal Alto de los Payuelos

8.3 Calzadilla de
los Hermanillos

Stage 18B

SF

← **Stage 18B**

Canal Alto de los Payuelos

A231 crossing
and rail crossing
(under bridges)

A-231

7.7 El Burgo Ranero

N

0   1   2
km

A-231

Stage 18A

S

5.8 Bercianos del Real Camino

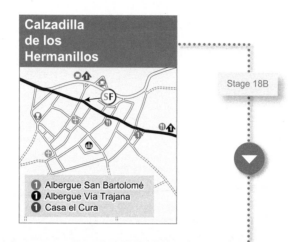

Calzadilla de los Hermanillos

Stage 18B

1 Albergue San Bartolomé
1 Albergue Vía Trajana
1 Casa el Cura

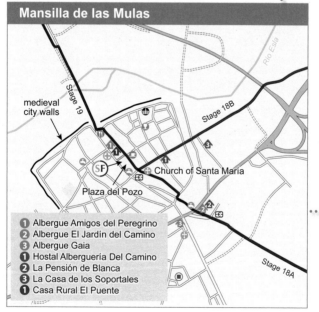

Mansilla de las Mulas

Stage 19

Stage 18B

Río Esla

medieval city walls

SF

Church of Santa María

Plaza del Pozo

Stage 18A

1 Albergue Amigos del Peregrino
2 Albergue El Jardín del Camino
3 Albergue Gaia
1 Hostal Albergueria Del Camino
2 La Pensión de Blanca
3 La Casa de los Soportales
1 Casa Rural El Puente

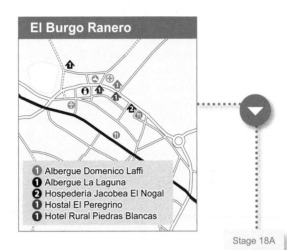

El Burgo Ranero

1 Albergue Domenico Laffi
1 Albergue La Laguna
2 Hospedería Jacobea El Nogal
1 Hostal El Peregrino
1 Hotel Rural Piedras Blancas

Stage 18A

Bustin

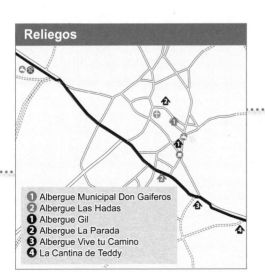

Reliegos

1 Albergue Municipal Don Gaiferos
2 Albergue Las Hadas
1 Albergue Gil
2 Albergue La Parada
3 Albergue Vive tu Camino
4 La Cantina de Teddy

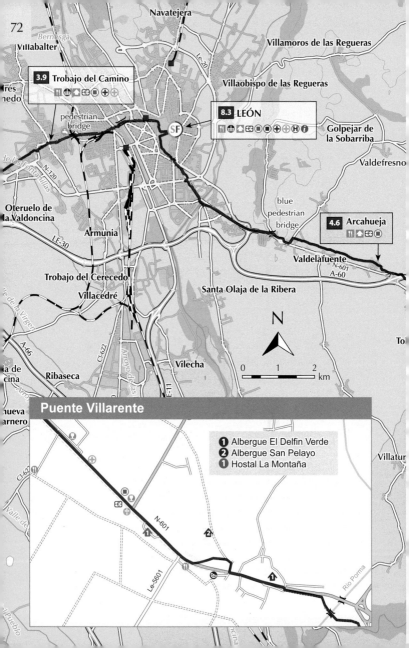

Navatejera

Villabalter

Villamoros de las Regueras

3.9 Trobajo del Camino

Villaobispo de las Regueras

pedestrian bridge

8.3 LEÓN

N-120

Golpejar de la Sobarriba

Oteruelo de la Valdoncina

LE-30

blue pedestrian bridge

4.6 Arcahueja

Armunia

Valdelafuente

N-601
A-60

Trobajo del Cerecedo

Santa Olaja de la Ribera

Villacedré

Ribaseca

Vilecha

N

0 1 2
km

To

Puente Villarente

1 Albergue El Delfin Verde
2 Albergue San Pelayo
1 Hostal La Montaña

Villatur

N-601

Le-5601

Río Porma

Mansilla de las Mulas 798m
Puente Villarente 801m
Arcahueja 853m
León 837m

m
1000
950
900
850
800
750

0 5 10 15 20km

6.1   4.6   8.3

For additional town map for
Stage 19 see pages 74–75

Villafañe

N-601

oldanos

6.1 Puente Villarente

N-601

Villamoros de Mansilla

riel

Mansilla
Mayor

Villasabariego

Río Esla

N-625

Stage 19
Start   Mansilla de las Mulas
Finish   León
Distance 19.1km
Duration 5hr

← Stage 19

SF

N-601 overpass

Porma

Río Esla   Le-512

6.1 Mansilla de
las Mulas 23.9

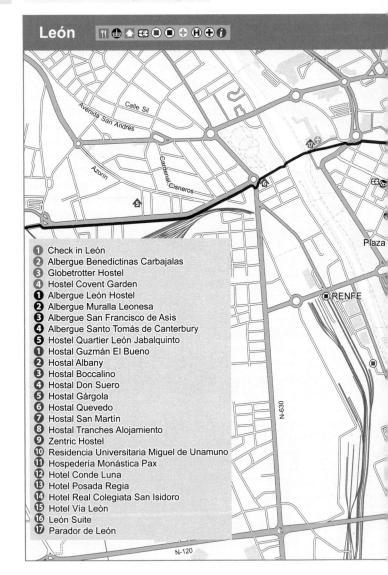

León

1 Check in León
2 Albergue Benedictinas Carbajalas
3 Globetrotter Hostel
4 Hostel Covent Garden
1 Albergue León Hostel
2 Albergue Muralla Leonesa
3 Albergue San Francisco de Asís
4 Albergue Santo Tomás de Canterbury
5 Hostel Quartier León Jabalquinto
1 Hostal Guzmán El Bueno
2 Hostal Albany
3 Hostal Boccalino
4 Hostal Don Suero
5 Hostal Gárgola
6 Hostal Quevedo
7 Hostal San Martín
8 Hostal Tranches Alojamiento
9 Zentric Hostel
10 Residencia Universitaria Miguel de Unamuno
11 Hospedería Monástica Pax
12 Hotel Conde Luna
13 Hotel Posada Regia
14 Hotel Real Colegiata San Isidoro
15 Hotel Vía León
16 León Suite
17 Parador de León

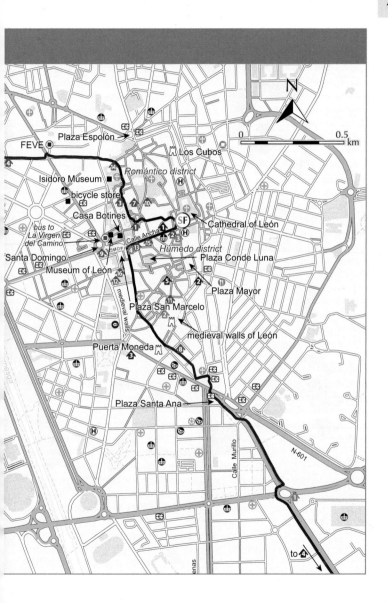

Trobajo del Camino

1 Hostal El Abuelo
2 Hotel Alfageme

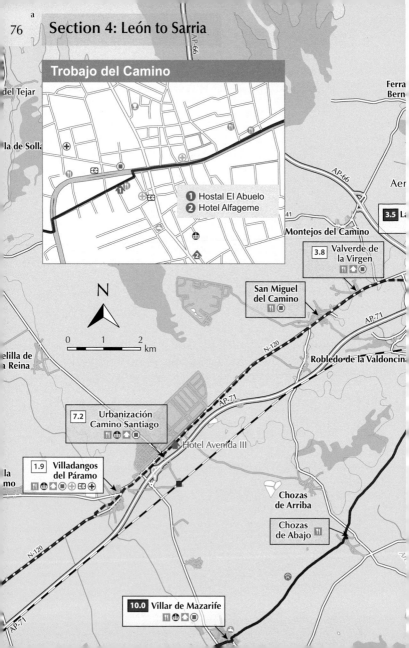

del Tejar

la de Solla

Ferra
Bern

AP-66

Aer

3.5 La

Montejos del Camino

3.8 Valverde de
la Virgen

San Miguel
del Camino

N

0   1   2
km

elilla de
a Reina

Robledo de la Valdoncina

AP-71

7.2 Urbanización
Camino Santiago

Hotel Avenida III

N-120

la
mo

1.9 Villadangos
del Páramo

Chozas
de Arriba

Chozas
de Abajo

N-120

AP-71

10.0 Villar de Mazarife

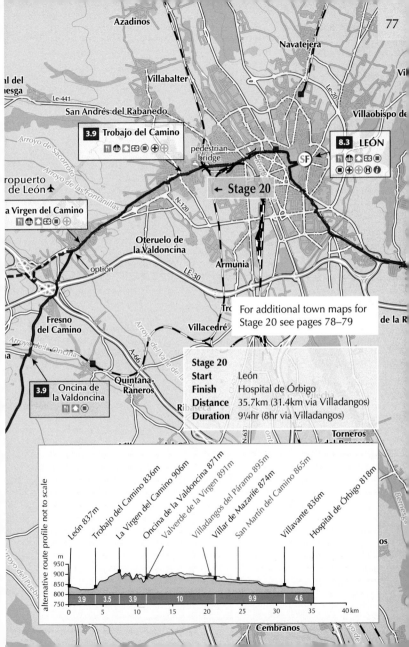

Azadinos

Navatejera

Vi

al del
nesga

Le-441

Villabalter

San Andrés del Rabanedo

Villaobispo de

3.9 Trobajo del Camino

pedestrian bridge

8.3 LEÓN

ropuerto de León ✈

la Virgen del Camino

← Stage 20

Oteruelo de la Valdoncina

N-120

SF

LE-30

Armunia

For additional town maps for Stage 20 see pages 78–79

de la R

Fresno del Camino

Arroyo de la Oncina

Villacedré

A-66

3.9 Oncina de la Valdoncina

Quintana-Raneros

Riba

Stage 20	
Start	León
Finish	Hospital de Órbigo
Distance	35.7km (31.4km via Villadangos)
Duration	9¼hr (8hr via Villadangos)

Torneros
del Bernesga

For additional town maps for Stage 20 see pages 78–79

alternative route profile not to scale

León 837m · Trobajo del Camino 836m · La Virgen del Camino 906m · Oncina de la Valdoncina 871m · Valverde de la Virgen 891m · Villadangos del Páramo 895m · Villar de Mazarife 874m · San Martín del Camino 865m · Villavante 836m · Hospital de Órbigo 818m

m
950
900
850
800
750

| 3.9 | 3.5 | 3.9 | 10 | 9.9 | 4.6 |

0   5   10   15   20   25   30   35   40 km

Cembranos

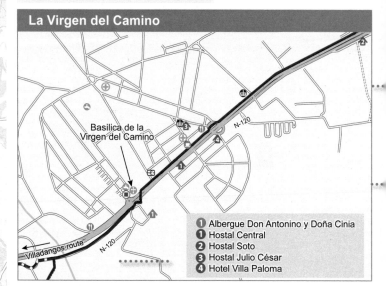

La Virgen del Camino

Basilica de la Virgen del Camino

Villadangos route
N-120

1 Albergue Don Antonino y Doña Cinia
1 Hostal Central
2 Hostal Soto
3 Hostal Julio César
4 Hotel Villa Paloma

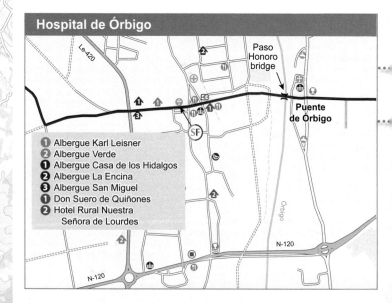

Hospital de Órbigo

Le-420

Paso Honoro bridge

Puente de Órbigo

SF

1 Albergue Karl Leisner
2 Albergue Verde
1 Albergue Casa de los Hidalgos
2 Albergue La Encina
3 Albergue San Miguel
1 Don Suero de Quiñones
2 Hotel Rural Nuestra
   Señora de Lourdes

Órbigo

N-120

N-120

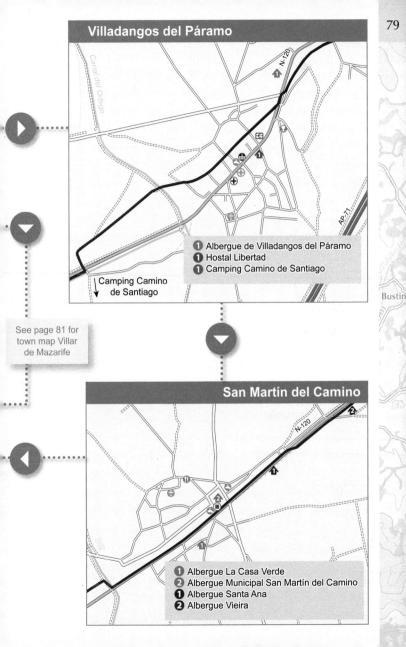

Villadangos del Páramo

Camping Camino de Santiago

1 Albergue de Villadangos del Páramo
1 Hostal Libertad
1 Camping Camino de Santiago

See page 81 for town map Villar de Mazarife

San Martín del Camino

1 Albergue La Casa Verde
2 Albergue Municipal San Martín del Camino
1 Albergue Santa Ana
2 Albergue Vieira

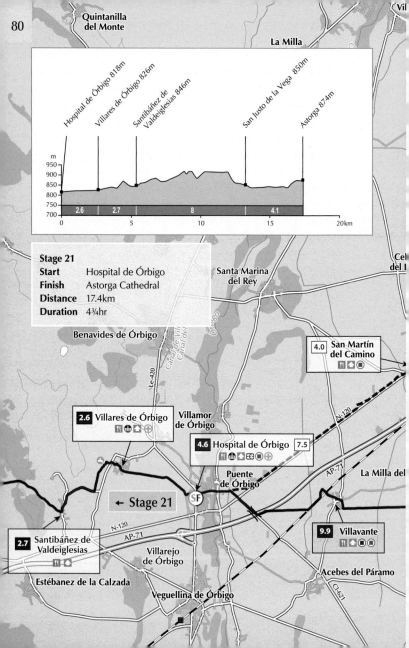

Quintanilla
del Monte

La Milla

Vil

Hospital de Órbigo 818m
Villares de Órbigo 826m
Santibáñez de Valdeiglesias 846m
San Justo de la Vega 850m
Astorga 874m

m
950
900
850
800
750
700

| 2.6 | 2.7 | 8 | 4.1 |

0   5   10   15   20km

Stage 21
Start   Hospital de Órbigo
Finish   Astorga Cathedral
Distance   17.4km
Duration   4¾hr

Santa Marina
del Rey

Cel
del I

Benavides de Órbigo

4.0 San Martín
del Camino

2.6 Villares de Órbigo

Villamor
de Órbigo

4.6 Hospital de Órbigo **7.5**

Puente
de Órbigo

AP-71

La Milla del

← Stage 21

SF

9.9 Villavante

2.7 Santibáñez de
Valdeiglesias

N-120

AP-71

Villarejo
de Órbigo

Estébanez de la Calzada

Acebes del Páramo

Veguellina de Órbigo

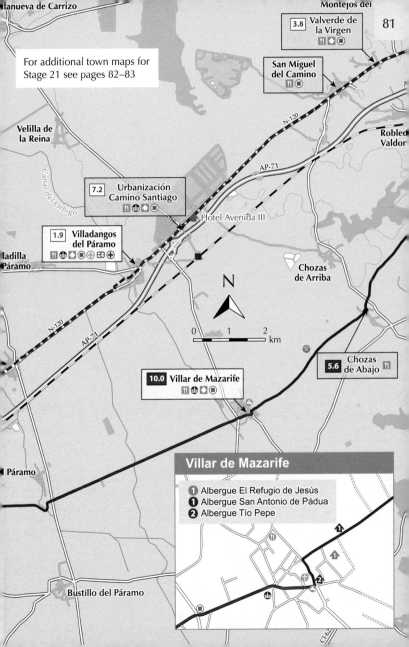

llanueva de Carrizo

Montejos del

3.8 **Valverde de la Virgen**

San Miguel del Camino

For additional town maps for Stage 21 see pages 82–83

Velilla de la Reina

N-120

Robled Valdor

AP-71

7.2 **Urbanización Camino Santiago**

Hotel Avenida III

1.9 **Villadangos del Páramo**

ladilla Páramo

Chozas de Arriba

N

Canal del Orbigo

N-120

AP-71

0   1   2 km

5.6 **Chozas de Abajo**

10.0 **Villar de Mazarife**

Páramo

Bustillo del Páramo

CL-62

Villar de Mazarife

1 Albergue El Refugio de Jesús
1 Albergue San Antonio de Pádua
2 Albergue Tío Pepe

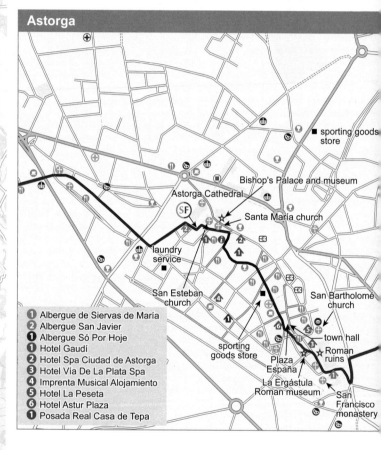

Astorga

sporting goods store

Bishop's Palace and museum

Astorga Cathedral

Santa María church

laundry service

San Esteban church

San Bartholomé church

town hall

sporting goods store

Roman ruins

Plaza España

La Ergástula Roman museum

San Francisco monastery

1 Albergue de Siervas de María
2 Albergue San Javier
1 Albergue Só Por Hoje
1 Hotel Gaudí
2 Hotel Spa Ciudad de Astorga
3 Hotel Vía De La Plata Spa
4 Imprenta Musical Alojamiento
5 Hotel La Peseta
6 Hotel Astur Plaza
1 Posada Real Casa de Tepa

Villares de Órbigo

❶ Albergue Villares de Órbigo
❷ Albergue El Encanto

Le-6452

Santibáñez de Valdeiglesias

❶ Albergue Camino Francés
❷ Albergue Parroquial de Santibáñez
❶ L'Abilleiru Albergue Rural

Bustinc

San Justo de la Vega

N-120

❶ Hostal Juli

Astorga 874m
Murias de Rechivaldo 880m
Santa Catalina de Somoza 983m
El Ganso 1016m
Rabanal del Camino 1155m
Foncebadón 1436m

4.2 4.5 4.4 7 5.6

Carneros

San Román de la Vega

← Stage 22

Ecce Homo chapel

Castrillo de los Polvazares

Le-142

8.0 San Justo de la Vega

SF

4.2 Murias de Rechivaldo

4.1 Astorga

Santo Toribio cross

N-120

AP-71

Nistal

Stage 22
Start   Astorga Cathedral
Finish   Foncebadón
Distance 25.7km
Duration 7½hr

Val de San Lorenzo

Río Turienzo

N-VI

Río Tuei

Estación de Valderrey

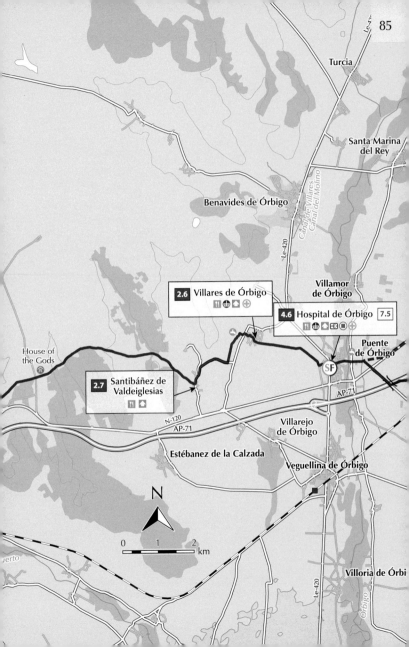

Turcia

Santa Marina
del Rey

Benavides de Órbigo

Villamor
de Órbigo

2.6 Villares de Órbigo

4.6 Hospital de Órbigo 7.5

Puente
de Órbigo

House of
the Gods

2.7 Santibáñez de
Valdeiglesias

SF

AP-71

Villarejo
de Órbigo

N-120

AP-71

Estébanez de la Calzada

Veguellina de Órbigo

N

0   1   2 km

Villoria de Órbi

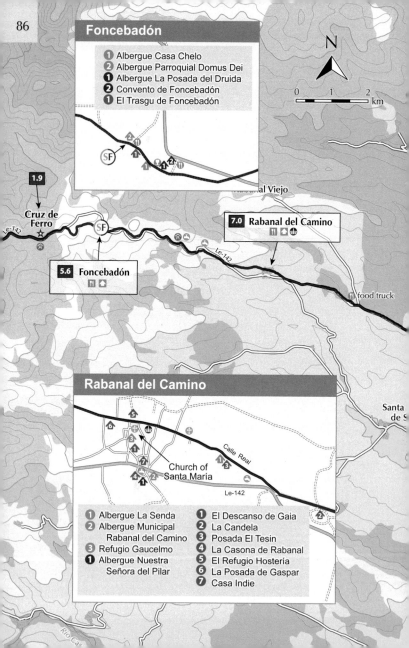

Foncebadón

1 Albergue Casa Chelo
2 Albergue Parroquial Domus Dei
1 Albergue La Posada del Druida
2 Convento de Foncebadón
1 El Trasgu de Foncebadón

1.9 Cruz de Ferro

5.6 Foncebadón

7.0 Rabanal del Camino

Rabanal Viejo

food truck

Rabanal del Camino

Church of Santa María

Calle Real

Le-142

Santa de S

1 Albergue La Senda
2 Albergue Municipal Rabanal del Camino
3 Refugio Gaucelmo
1 Albergue Nuestra Señora del Pilar

1 El Descanso de Gaia
2 La Candela
3 Posada El Tesin
4 La Casona de Rabanal
5 El Refugio Hostería
6 La Posada de Gaspar
7 Casa Indie

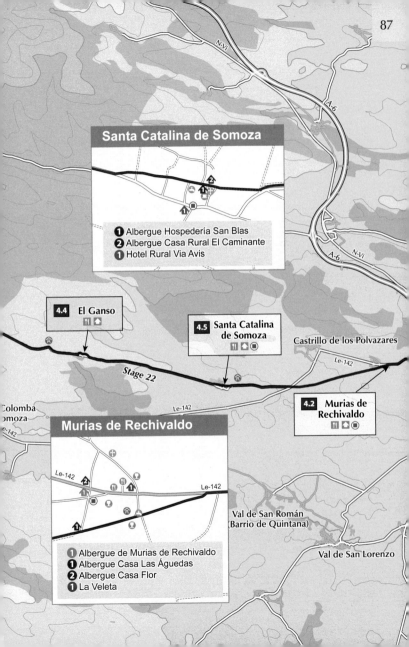

Santa Catalina de Somoza

1 Albergue Hospedería San Blas
2 Albergue Casa Rural El Caminante
1 Hotel Rural Via Avis

4.4 El Ganso

4.5 Santa Catalina de Somoza

Castrillo de los Polvazares

Stage 22

4.2 Murias de Rechivaldo

Colomba
omoza

Murias de Rechivaldo

Le-142

Le-142

Val de San Román
(Barrio de Quintana)

Val de San Lorenzo

1 Albergue de Murias de Rechivaldo
1 Albergue Casa Las Águedas
2 Albergue Casa Flor
1 La Veleta

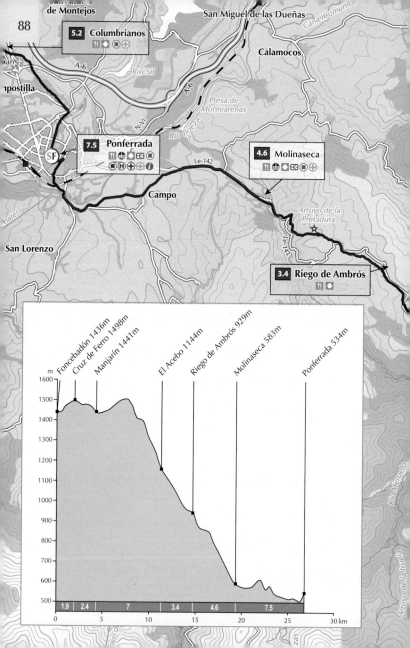

de Montejos

San Miguel de las Dueñas

5.2 Columbrianos

Calamocos

A-6

Río Sil

Presa de
Monteareñas

Río Boeza

7.5 Ponferrada

Le-142

4.6 Molinaseca

Campo

Arroyo de la
Pretadura

San Lorenzo

Le-142

3.4 Riego de Ambrós

m	Foncebadón 1436m	Cruz de Ferro 1498m	Manjarín 1441m	El Acebo 1144m	Riego de Ambrós 929m	Molinaseca 583m	Ponferrada 534m

1.9	2.4	7	3.4	4.6	7.5

0   5   10   15   20   25   30 km

Castropodame

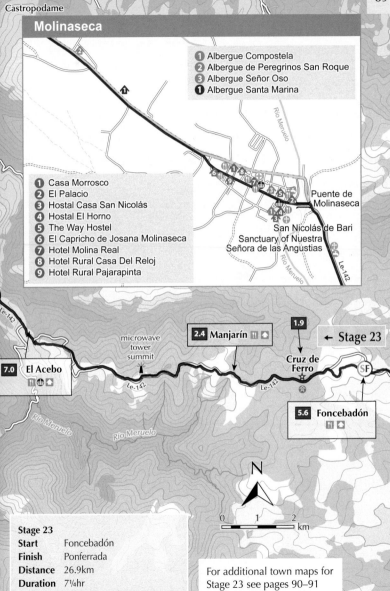

Molinaseca

1. Albergue Compostela
2. Albergue de Peregrinos San Roque
3. Albergue Señor Oso
1. Albergue Santa Marina

1. Casa Morrosco
2. El Palacio
3. Hostal Casa San Nicolás
4. Hostal El Horno
5. The Way Hostel
6. El Capricho de Josana Molinaseca
7. Hotel Molina Real
8. Hotel Rural Casa Del Reloj
9. Hotel Rural Pajarapinta

Rio Meruelo

Puente de
Molinaseca

San Nicolás de Bari
Sanctuary of Nuestra
Señora de las Angustias

Rio Meruelo

Le-142

Le-142

7.0 El Acebo

microwave
tower
summit

2.4 Manjarín

1.9

Cruz de
Ferro

← Stage 23

SF

Le-142

Le-142

5.6 Foncebadón

Rio Meruelo

Rio Meruelo

N

0   1   2
km

Stage 23
Start Foncebadón
Finish Ponferrada
Distance 26.9km
Duration 7¼hr

For additional town maps for Stage 23 see pages 90–91

Additional town maps for Stage 23

See page 89 for town map of Molinaseca

El Acebo

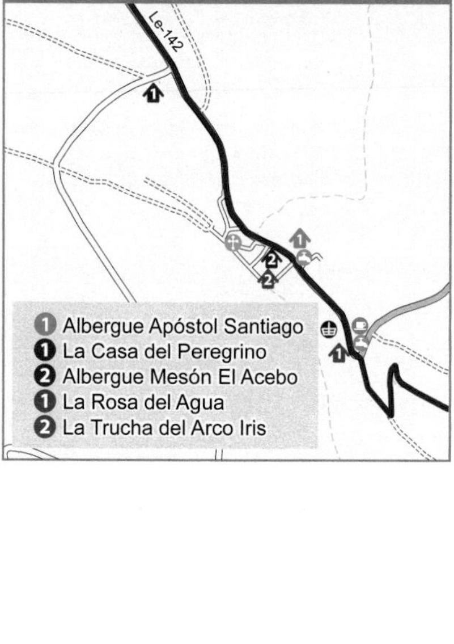

Le-142

1 Albergue Apóstol Santiago
1 La Casa del Peregrino
2 Albergue Mesón El Acebo
1 La Rosa del Agua
2 La Trucha del Arco Iris

Ponferrada

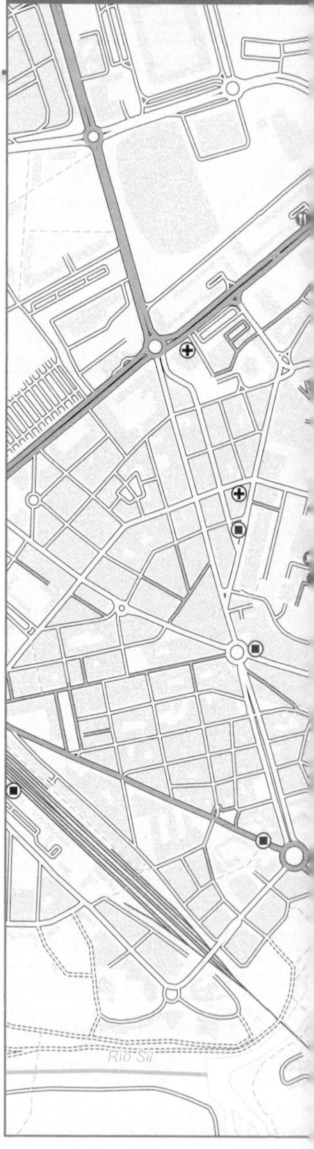

RÍO Sil

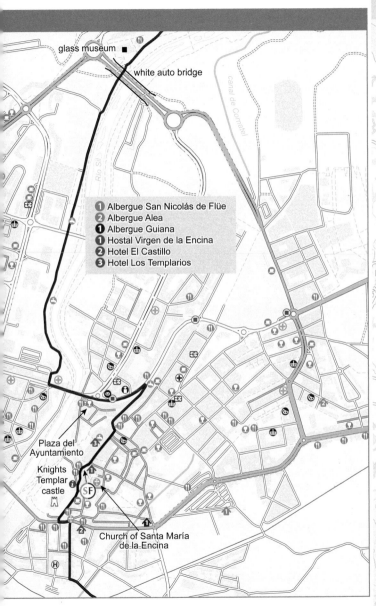

glass museum ■

white auto bridge

canal de Cornatel

Río Sil

Bustince

1 Albergue San Nicolás de Flüe
2 Albergue Alea
1 Albergue Guiana
1 Hostal Virgen de la Encina
2 Hotel El Castillo
3 Hotel Los Templarios

Plaza del
Ayuntamiento

Knights
Templar
castle

SF

Church of Santa María
de la Encina

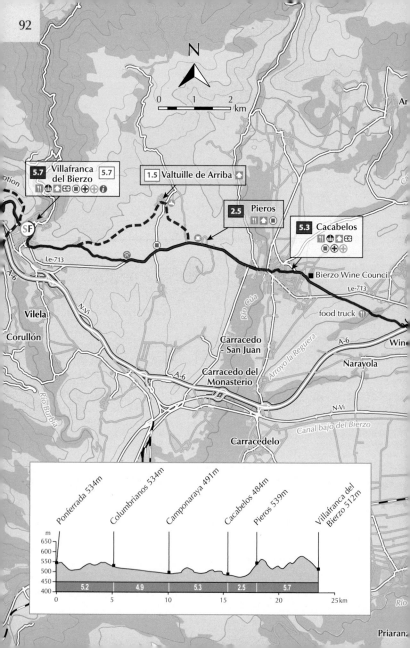

5.7 Villafranca del Bierzo 5.7

1.5 Valtuille de Arriba

2.5 Pieros

5.3 Cacabelos

■ Bierzo Wine Council

food truck

Le-713

A-6

N-VI

Vilela

Corullón

Carracedo - San Juan

Carracedo del Monasterio

Carracedelo

Narayola

Canal bajo del Bierzo

Priaran.

Ponferrada 534m	Columbrianos 534m	Camponaraya 491m	Cacabelos 484m	Pieros 539m	Villafranca del Bierzo 512m
5.2	4.9	5.3	2.5	5.7	

For additional town maps for
Stage 24 see pages 94–95

Stage 24
Start Ponferrada
Finish Villafranca del Bierzo
Distance 23.6km
Duration 6½hr

Cabañas de la Dornilla

Cubillos
del Sil

A-631

Cabañas Raras

CL-631

Magaz de Arriba

nza

uto del Bierzo

Cortiguera

Bárcena del Bierzo

Embals
de Bárc

Magaz de Abajo

La
Válgoma

Le-711

A-6 pedestrian bridge

A-6

Arroyo de los Barredos

San Andrés
de Montejos

San
de las

5.2 Columbrianos

Fuentesnuevas

San Esteban

N-VI

Río Sil

A-6

4.9 Camponaraya

Compostilla

Cuatrovientos

La
Placa

← Stage 24

N-VI

Río Boeza

Pre
Mont

7.5 Ponferrada

SF

Flores del Sil

Campo

Dehesas

San Lorenzo

Toral de
Merayo

Oza

del Bierzo

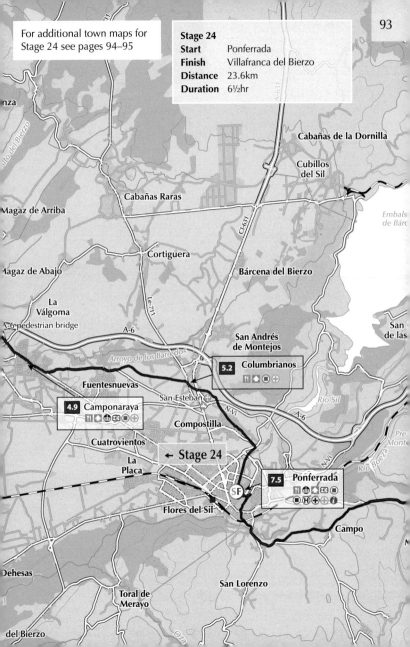

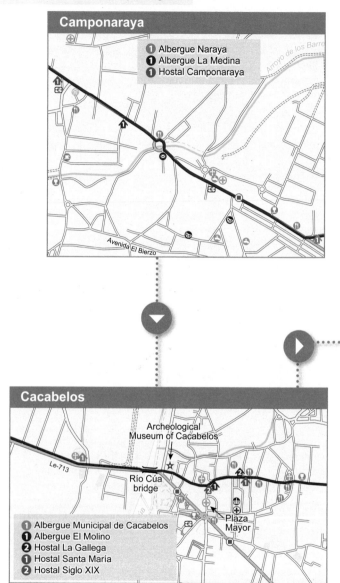

Camponaraya

1 Albergue Naraya
1 Albergue La Medina
1 Hostal Camponaraya

Arroyo de los Barre

Avenida El Bierzo

Cacabelos

Archeological
Museum of Cacabelos

Le-713

Río Cúa
bridge

Plaza
Mayor

1 Albergue Municipal de Cacabelos
1 Albergue El Molino
2 Hostal La Gallega
1 Hostal Santa María
2 Hostal Siglo XIX

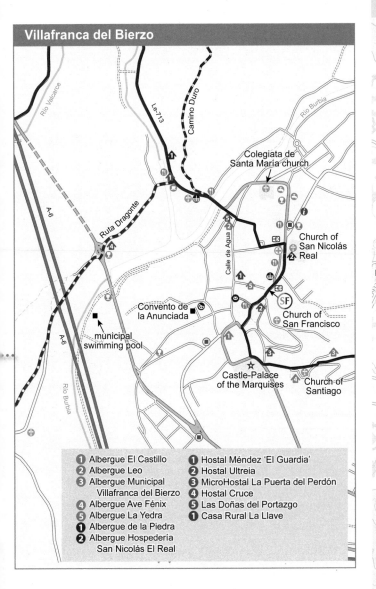

Villafranca del Bierzo

1 Albergue El Castillo
2 Albergue Leo
3 Albergue Municipal
   Villafranca del Bierzo
4 Albergue Ave Fénix
5 Albergue La Yedra
1 Albergue de la Piedra
2 Albergue Hospedería
   San Nicolás El Real

1 Hostal Méndez 'El Guardia'
2 Hostal Ultreia
3 MicroHostal La Puerta del Perdón
4 Hostal Cruce
5 Las Doñas del Portazgo
1 Casa Rural La Llave

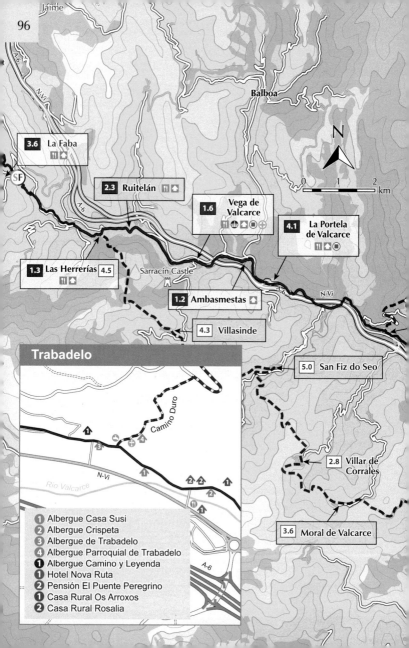

Jaime

Balboa

N

0   1   2
km

3.6   La Faba

SF

2.3   Ruitelán

1.6   Vega de Valcarce

4.1   La Portela de Valcarce

1.3   Las Herrerías   4.5

Sarracín Castle

1.2   Ambasmestas

4.3   Villasinde

5.0   San Fiz do Seo

2.8   Villar de Corrales

3.6   Moral de Valcarce

Trabadelo

Camino Duro

N-VI

Río Valcarce

A-6

1 Albergue Casa Susi
2 Albergue Crispeta
3 Albergue de Trabadelo
4 Albergue Parroquial de Trabadelo
1 Albergue Camino y Leyenda
1 Hotel Nova Ruta
2 Pensión El Puente Peregrino
1 Casa Rural Os Arroxos
2 Casa Rural Rosalia

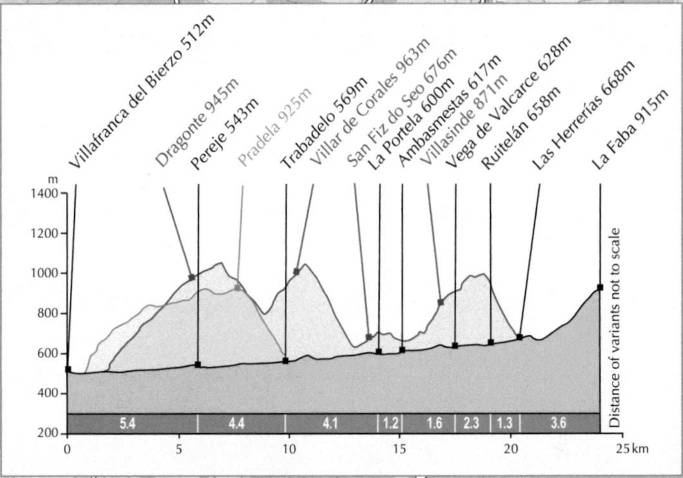

Elevation profile labels:
Villafranca del Bierzo 512m
Dragonte 945m
Pereje 543m
Pradela 925m
Trabadelo 569m
Villar de Corales 963m
San Fiz do Seo 676m
La Portela 600m
Ambasmestas 617m
Villasinde 871m
Vega de Valcarce 628m
Ruitelán 658m
Las Herrerías 668m
La Faba 915m

Distance of variants not to scale

| 5.4 | 4.4 | 4.1 | 1.2 | 1.6 | 2.3 | 1.3 | 3.6 |

Pradela
Albergue Lamas

4.4 Trabadelo 10.9

5.4 Pereje

A-6
Río Valcarce
N-VI

Camino Duro option

Stage 25
Start Villafranca del Bierzo
Finish La Faba
Distance 24.0km
Duration 7¼hr

For additional town maps for
Stage 25 see pages 98–99

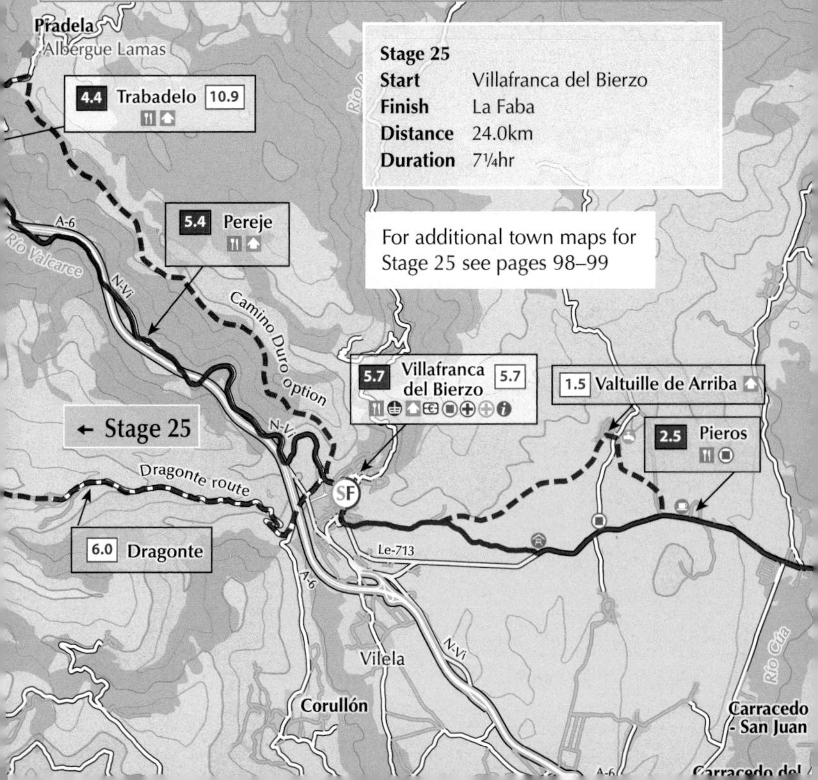

1.5 Valtuille de Arriba

5.7 Villafranca del Bierzo 5.7

2.5 Pieros

← Stage 25

Dragonte route

SF

N-VI

6.0 Dragonte

Le-713

A-6

N-VI

Vilela

Corullón

Río Cúa

Carracedo - San Juan

Carracedo del

La Portela de Valcarce

1 Albegue El Peregrino
1 Hotel Valcarce

Ambasmestas

1 Albergue Casa del Pescador
1 Albergue Camynos
2 Albergue El Rincón del Apóstol
1 Hotel Rural Ambasmestas

Church of San Pedro Apóstol

See page 101 for town map of La Faba

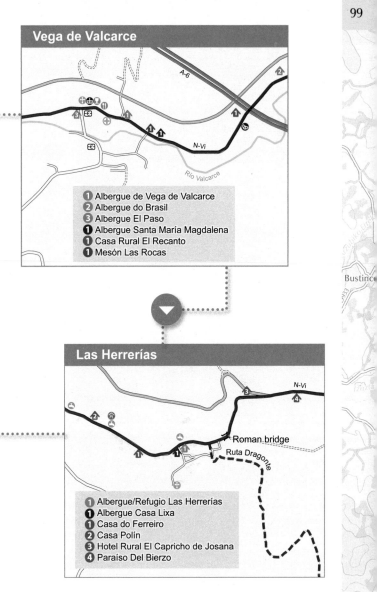

Vega de Valcarce

1. Albergue de Vega de Valcarce
2. Albergue do Brasil
3. Albergue El Paso
1. Albergue Santa María Magdalena
1. Casa Rural El Recanto
1. Mesón Las Rocas

Las Herrerías

1. Albergue/Refugio Las Herrerías
1. Albergue Casa Lixa
1. Casa do Ferreiro
2. Casa Polín
3. Hotel Rural El Capricho de Josana
4. Paraíso Del Bierzo

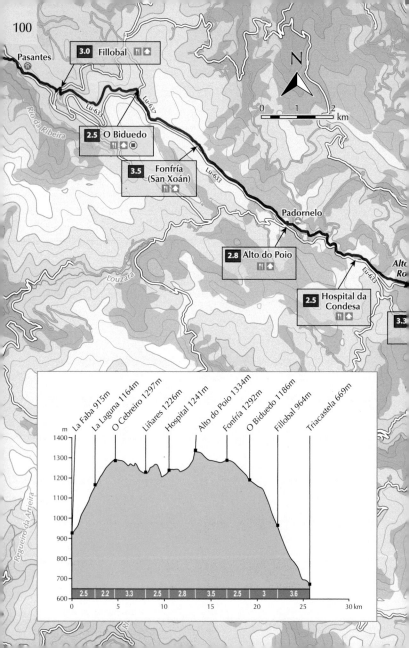

Pasantes

3.0 Fillobal

2.5 O Biduedo

3.5 Fonfría (San Xoán)

Padornelo

2.8 Alto do Poio

2.5 Hospital da Condesa

Alto
Ro

N

0   1   2 km

Río da Ribeira

Lu-633

Lu-633

Lu-633

L'ouzara

Reguero da Arreira

La Faba 915m
La Laguna 1164m
O Cebreiro 1297m
Liñares 1226m
Hospital 1241m
Alto do Poio 1334m
Fonfría 1292m
O Biduedo 1186m
Fillobal 964m
Triacastela 669m

m
1400
1300
1200
1100
1000
900
800
700
600

2.5 | 2.2 | 3.3 | 2.5 | 2.8 | 3.5 | 2.5 | 3 | 3.6

0   5   10   15   20   25   30 km

O Cebreiro

Lu-633

Ethnographic Complex

Church of Santa María

1 Albergue do Cebreiro
1 Albergue Casa Campelo
1 Hostal Mesón Antón
2 Pensión Casa Carolo
3 Hotel O Cebreiro
1 Casa Navarro
2 Casa Rural Valiña
3 Venta Celta

Stage 26
Start La Faba
Finish Triacastela
Distance 25.9km
Duration 7¾hr

Pedrafita do Cebreiro

Rej Casa Rural Jaime

Rego de Riamonte

2.2 O Cebreiro

Galicia border monument

San ue

Liñares

← Stage 26

2.5 La Laguna de Castilla

SF

2.3 Ruitelán

Vega de Valcarce
1.6

3.6 La Faba

1.3 Las Herrerías **4.5**

Sarracín Castle

La Faba

Le-4101

SF

4.3 Villasinde

1 Albergue de La Faba

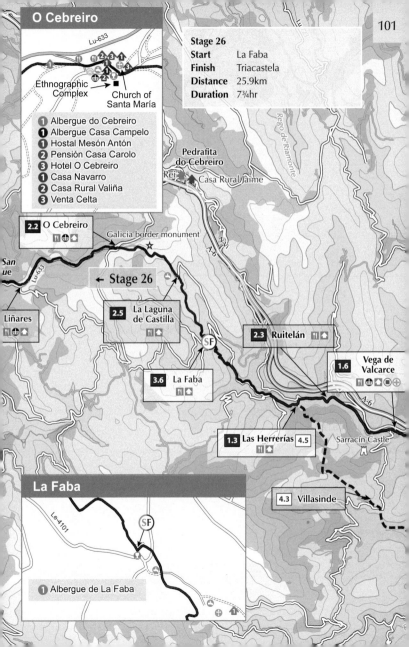

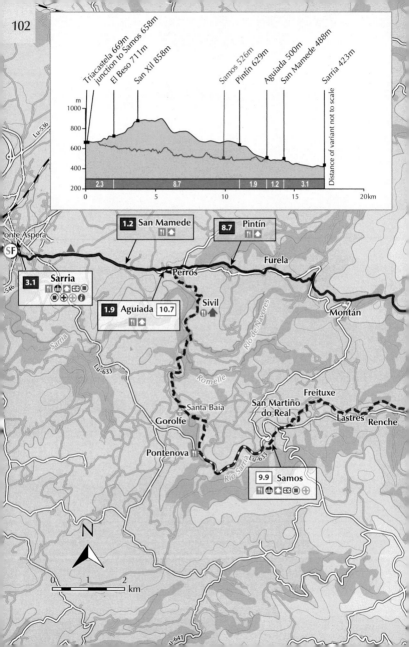

Triacastela 669m
junction to Samos 658m
El Beso 711m
San Xil 858m
Samos 526m
Pintín 629m
Aguiada 500m
San Mamede 488m
Sarria 423m

Distance of variant not to scale

m
1000
800
600
400
200

2.3   8.7   1.9 1.2 3.1

0   5   10   15   20km

1.2 San Mamede

8.7 Pintín

Furela

onte Áspera

SF

Perros

Montán

3.1 Sarria

1.9 Aguiada **10.7**

Sivil

Lu-546

Lu-633

Río de Navores

Romelle

Freituxe

Santa Baia

San Martiño
do Real

Lastres   Renche

Gorolfe

Pontenova

Río Sarria Lu-633

9.9 Samos

N

0   1   2
km

Lu-536

Sarria

Triacastela

to hospital

option

Casa Pedreira

Church of Santiago

Casa do Concello

Oribio

Lu-633

Samos Variant

SF

① Albergue Aitzenea	③ Complexo Xacobeo
② Albergue Berce do Caminho	④ Albergue Lemos
③ Albergue Refugio del Oribio	① Casa David
④ Albergue Triacastela	② Hostal Mesón Vilasante
① A Horta de Abel	③ Pensión García
② Albergue Atrio	④ IBERIK Hotel Triacastela

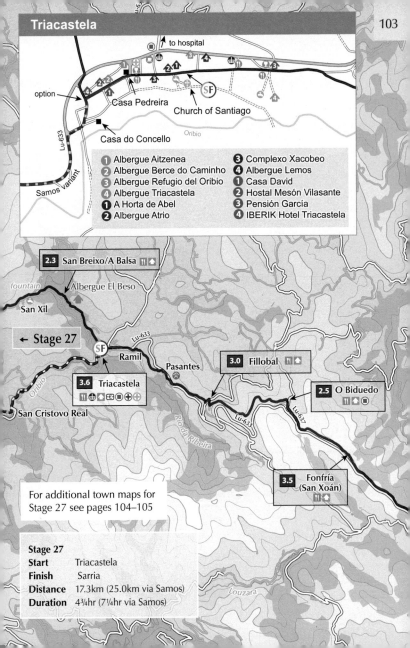

2.3 San Breixo/A Balsa

Albergue El Beso

fountain

San Xil

← Stage 27

SF Ramil

Lu-633

Pasantes

3.0 Fillobal

2.5 O Biduedo

3.6 Triacastela

San Cristovo Real

Oribio

Río da Ribeira

Lu-633

Lu-633

Lu-633

3.5 Fonfría (San Xoán)

For additional town maps for Stage 27 see pages 104–105

Louzara

Stage 27

Start	Triacastela
Finish	Sarria
Distance	17.3km (25.0km via Samos)
Duration	4¾hr (7¼hr via Samos)

Samos

Aguiada–Calvor

Aguiada

Samos variant

Sarria

Río Sarria

Ermida do Ciprés chapel

Monasterio de San
Xulián de Samos

Lu-633

1 Albergue de Peregrinos
de Calvor

1 Albergue de Monasterio de Samos
2 Albergue Val de Samos
1 Albergue Tras do Convento
1 Pensión Santa Rosa
2 Hotel A Veiga
1 Casa Licerio
2 Casas de Outeiro

Rúa Calvo

Convento de
la Magdalena

Church of
Santa Mariña

Tower of the
Battalion

Church of
San Salvador

escun

Jaxu

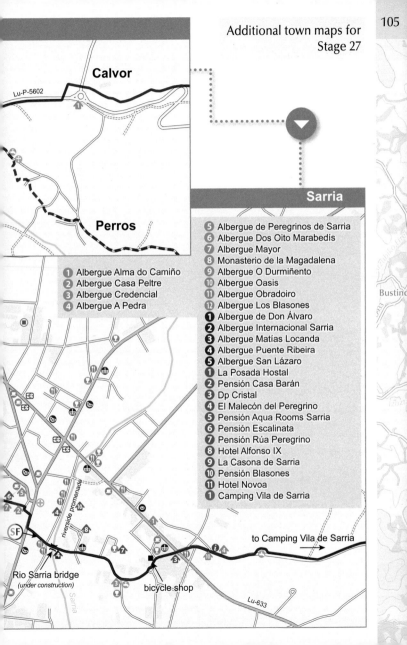

Calvor

Lu-P-5602

Perros

1 Albergue Alma do Camiño
2 Albergue Casa Peltre
3 Albergue Credencial
4 Albergue A Pedra

Sarria

5 Albergue de Peregrinos de Sarria
6 Albergue Dos Oito Marabedís
7 Albergue Mayor
8 Monasterio de la Magadalena
9 Albergue O Durmiñeno
10 Albergue Oasis
11 Albergue Obradoiro
12 Albergue Los Blasones
1 Albergue de Don Álvaro
2 Albergue Internacional Sarria
3 Albergue Matías Locanda
4 Albergue Puente Ribeira
5 Albergue San Lázaro
1 La Posada Hostal
2 Pensión Casa Barán
3 Dp Cristal
4 El Malecón del Peregrino
5 Pensión Aqua Rooms Sarria
6 Pensión Escalinata
7 Pensión Rúa Peregrino
8 Hotel Alfonso IX
9 La Casona de Sarria
10 Pensión Blasones
11 Hotel Novoa
1 Camping Vila de Sarria

Bustinc

riverside promenade

to Camping Vila de Sarria

Rio Sarria bridge
(under construction)

bicycle shop

Lu-633

Sarria

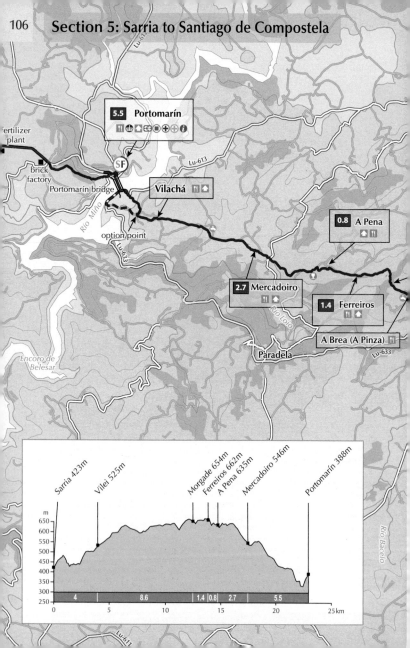

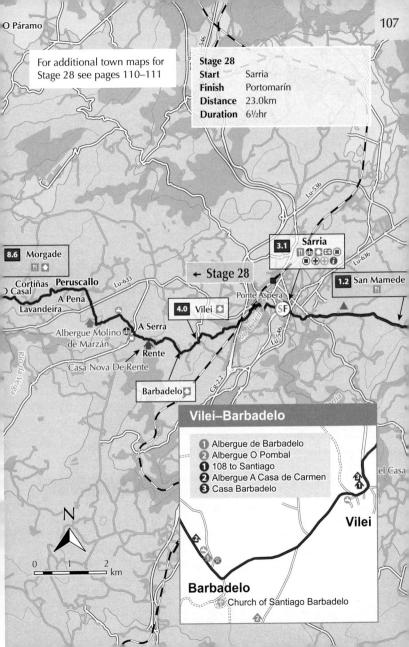

For additional town maps for Stage 28 see pages 110–111

Stage 28
Start   Sarria
Finish   Portomarín
Distance 23.0km
Duration 6½hr

8.6 Morgade

Cortiñas **Peruscallo**
O Casal   A Pena
Lavandeira

Albergue Molino
de Marzán
              A Serra
Casa Nova De Rente   Rente

Barbadelo

3.1 **Sarria**

1.2 San Mamede

← Stage 28

Ponte Aspera

SF

4.0 Vilei

Vilei–Barbadelo

1 Albergue de Barbadelo
2 Albergue O Pombal
1 108 to Santiago
2 Albergue A Casa de Carmen
3 Casa Barbadelo

el Casa

Vilei

N

0   1   2
         km

Barbadelo
Church of Santiago Barbadelo

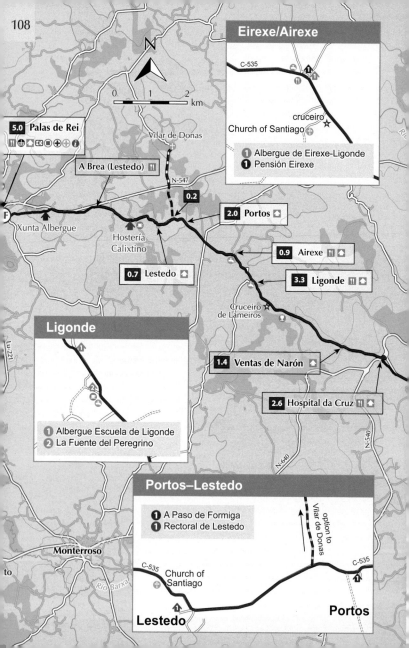

Eirexe/Airexe

C-535

cruceiro

Church of Santiago

① Albergue de Eirexe-Ligonde
① Pensión Eirexe

5.0 Palas de Rei

A Brea (Lestedo) 🍴

Vilar de Donas

N-547

0.2

2.0 Portos 🏠

F

Xunta Albergue

Hostería
Calixtino

0.9 Airexe 🍴🏠

0.7 Lestedo 🏠

3.3 Ligonde 🍴🏠

Cruceiro
de Lameiros

1.4 Ventas de Narón 🏠

2.6 Hospital da Cruz 🍴🏠

Ligonde

① Albergue Escuela de Ligonde
② La Fuente del Peregrino

Lu-221

Portos–Lestedo

① A Paso de Formiga
① Rectoral de Lestedo

option to
Vilar de Donas

C-535

Church of
Santiago

C-535

Monterroso

to

Río Barxa

Lestedo

Portos

N-640

N-540

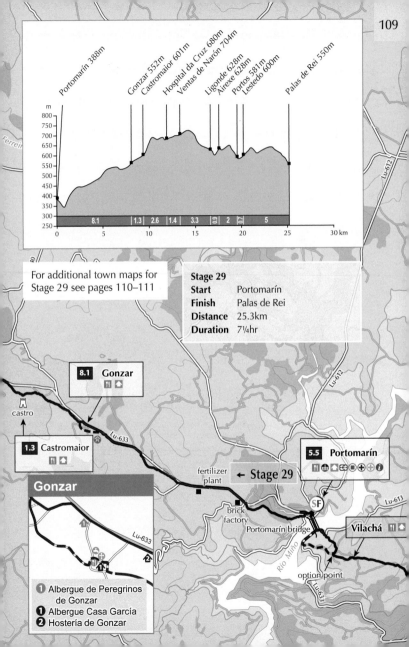

Portomarín 388m
Gonzar 552m
Castromaior 601m
Hospital da Cruz 680m
Ventas de Narón 704m
Ligonde 628m
Airexe 628m
Portos 581m
Lestedo 600m
Palas de Rei 550m

m
800
750
700
650
600
550
500
450
400
350
300
250

0   5   10   15   20   25   30 km

8.1 | 1.3 | 2.6 | 1.4 | 3.3 | 0.9 | 2 | 0.7 | 5

For additional town maps for
Stage 29 see pages 110–111

For additional town maps for Stage 29 see pages 110–111

Stage 29
Start Portomarín
Finish Palas de Rei
Distance 25.3km
Duration 7¼hr

8.1 Gonzar ⊞ ⌂

castro

1.3 Castromaior ⊞ ⌂

Gonzar

Lu-633

❶ Albergue de Peregrinos de Gonzar
❶ Albergue Casa García
❷ Hostería de Gonzar

fertilizer plant   ← Stage 29

5.5 Portomarín ⊞ ⊕ ⌂ ⊠ ⊙ ⊕ ⊕ ⓘ

brick factory

Portomarín bridge   **Vilachá** ⊞ ⌂

Rio Miño

option point

Lu-613

Lu-633

Lu-612

Ferrei

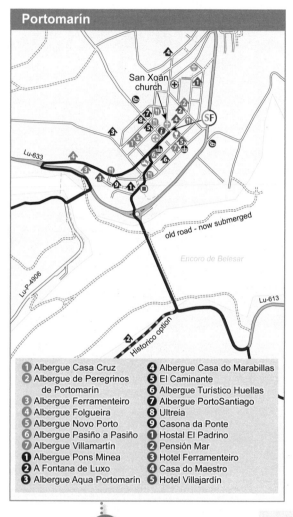

Portomarín

San Xoán church

Lu-633

old road - now submerged

Encoro de Belesar

Lu-4906

Lu-613

Histórico option

1 Albergue Casa Cruz
2 Albergue de Peregrinos de Portomarín
3 Albergue Ferramenteiro
4 Albergue Folgueira
5 Albergue Novo Porto
6 Albergue Pasiño a Pasiño
7 Albergue Villamartín
1 Albergue Pons Minea
2 A Fontana de Luxo
3 Albergue Aqua Portomarín

4 Albergue Casa do Marabillas
5 El Caminante
6 Albergue Turístico Huellas
7 Albergue PortoSantiago
8 Ultreia
9 Casona da Ponte
1 Hostal El Padrino
2 Pensión Mar
3 Hotel Ferramenteiro
4 Casa do Maestro
5 Hotel Villajardín

See page 109 for town map of Gonzar

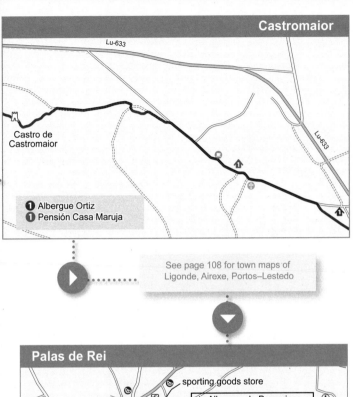

Castromaior

Lu-633

Castro de Castromaior

Lu-633

1 Albergue Ortiz
1 Pensión Casa Maruja

See page 108 for town maps of Ligonde, Airexe, Portos–Lestedo

Bustinc

Palas de Rei

sporting goods store

to Albergue de Peregrinos Os Chacotes 5

SF

San Tirso church

1 Albergue A Casiña di Marcello
2 Albergue Buen Camino
3 Albergue Castro
4 Albergue de Palas de Rei

5 Albergue de Peregrinos Os Chacotes
6 Albergue Mesón de Benito
7 Albergue Outeiro
1 Albergue San Marcos
2 Zendoira
1 Pensión Arenas Palas
2 Casa Curro
3 Hostel O Castelo
4 Pensión O Cruceiro
5 Pensión Residencia Barcelona
6 Pensión Casa Camiño
7 Hotel Casa Benilde
8 La Cabaña
9 Pensión As Hortas
10 Hospedaxe Casa Avelina

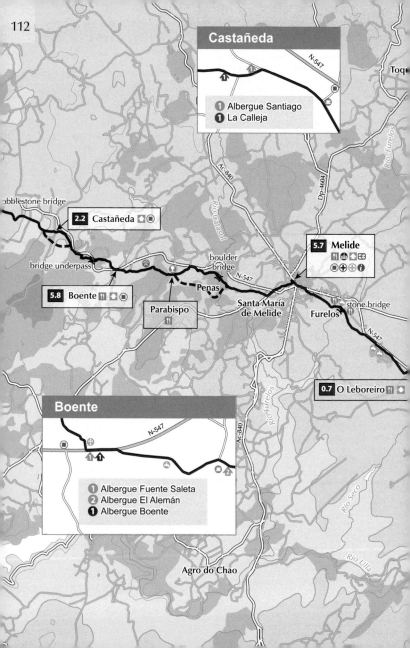

Castañeda
- ❶ Albergue Santiago
- ❶ La Calleja

N-547

Toq

Río Furelos

AC-840

Dp-4604

cobblestone bridge

2.2 Castañeda 🏠 ▣

bridge underpass

boulder bridge

Río Catasol

5.7 Melide 🍴⊕🏠⊞ ▣⊕⊕ℹ

N-547

5.8 Boente 🍴🏠 ▣

Penas

Parabispo 🍴

Santa María de Melide

Furelos

stone bridge

N-547

0.7 O Leboreiro 🍴🏠

Río Furelos

Boente

N-547

AC-840

Río Seco

- ❶ Albergue Fuente Saleta
- ❷ Albergue El Alemán
- ❶ Albergue Boente

Río Ulla

Agro do Chao

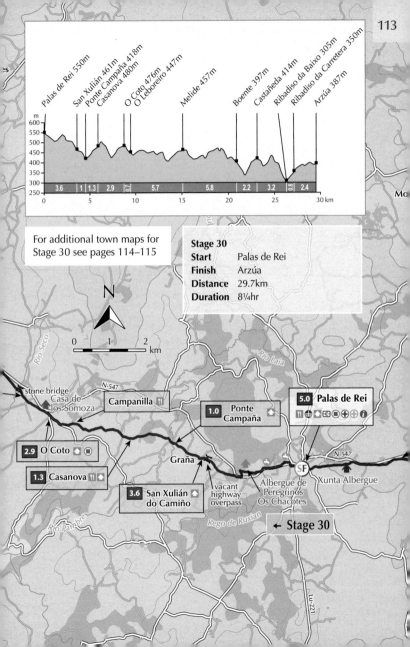

Profile labels (left to right): Palas de Rei 550m · San Xulián 461m · Ponte Campaña 418m · Casanova 480m · O Coto 476m · O Leboreiro 447m · Melide 457m · Boente 397m · Castañeda 414m · Ribadiso da Baixo 305m · Ribadiso da Carretera 350m · Arzúa 387m

Profile segment distances: 3.6 | 1 | 1.3 | 2.9 | 0.7 | 5.7 | 5.8 | 2.2 | 3.2 | 0.8 | 2.4

For additional town maps for Stage 30 see pages 114–115

Stage 30
Start Palas de Rei
Finish Arzúa
Distance 29.7km
Duration 8¼hr

N

0   1   2
━━━━━━━ km

stone bridge
Casa de los Somoza
N-547
Campanilla 🍴
1.0 Ponte Campaña
5.0 Palas de Rei

2.9 O Coto

1.3 Casanova 🍴

Graña

3.6 San Xulián do Camiño

vacant highway overpass

Albergue de Peregrinos Os Chacotes

Xunta Albergue

N-547

Río Seco

Río Laia

Río Pambre

Rego de Ruxian

Lu-221

SF   Xunta Albergue

← Stage 30

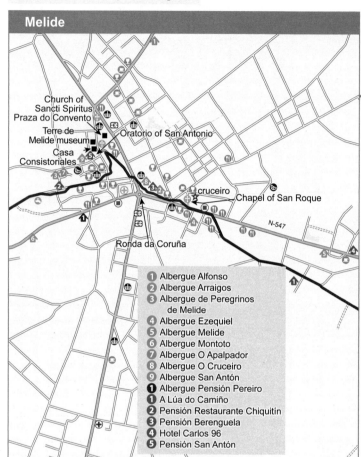

Melide

Church of Sancti Spiritus
Praza do Convento
Terre de Melide museum
Casa Consistoriales
Oratorio of San Antonio
cruceiro
Chapel of San Roque
N-547
Ronda da Coruña
escun
Jaxu

1. Albergue Alfonso
2. Albergue Arraigos
3. Albergue de Peregrinos de Melide
4. Albergue Ezequiel
5. Albergue Melide
6. Albergue Montoto
7. Albergue O Apalpador
8. Albergue O Cruceiro
9. Albergue San Antón
1. Albergue Pensión Pereiro
1. A Lúa do Camiño
2. Pensión Restaurante Chiquitín
3. Pensión Berenguela
4. Hotel Carlos 96
5. Pensión San Antón

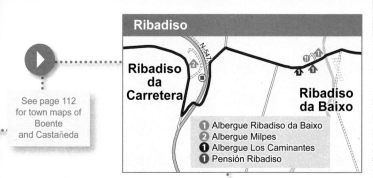

See page 112 for town maps of Boente and Castañeda

Ribadiso

Ribadiso da Carretera

Ribadiso da Baixo

1 Albergue Ribadiso da Baixo
2 Albergue Milpes
1 Albergue Los Caminantes
1 Pensión Ribadiso

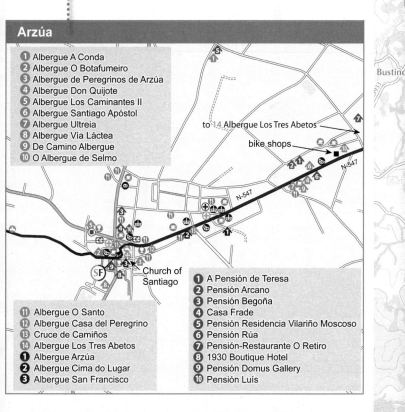

Arzúa

1 Albergue A Conda
2 Albergue O Botafumeiro
3 Albergue de Peregrinos de Arzúa
4 Albergue Don Quijote
5 Albergue Los Caminantes II
6 Albergue Santiago Apóstol
7 Albergue Ultreia
8 Albergue Vía Láctea
9 De Camino Albergue
10 O Albergue de Selmo

to 14 Albergue Los Tres Abetos

bike shops

Church of Santiago

11 Albergue O Santo
12 Albergue Casa del Peregrino
13 Cruce de Camiños
14 Albergue Los Tres Abetos
1 Albergue Arzúa
2 Albergue Cima do Lugar
3 Albergue San Francisco

1 A Pensión de Teresa
2 Pensión Arcano
3 Pensión Begoña
4 Casa Frade
5 Pensión Residencia Vilariño Moscoso
6 Pensión Rúa
7 Pensión-Restaurante O Retiro
8 1930 Boutique Hotel
9 Pensión Domus Gallery
10 Pensión Luís

Bustinc

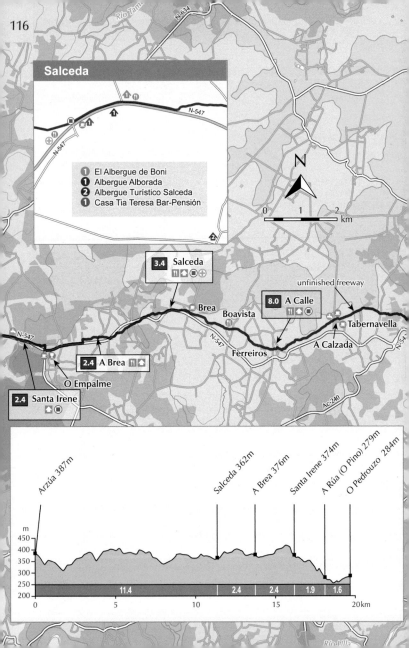

Salceda

1 El Albergue de Boni
1 Albergue Alborada
2 Albergue Turístico Salceda
1 Casa Tia Teresa Bar-Pensión

N

0   1   2
km

3.4   Salceda

8.0   A Calle

unfinished freeway

Brea

Boavista

Tabernavella

Ferreiros

A Calzada

N-547

2.4   A Brea

O Empalme

2.4   Santa Irene

N-547

Ac-240

Arzúa 387m

Salceda 362m

A Brea 376m

Santa Irene 374m

A Rúa (O Pino) 279m

O Pedrouzo 284m

m
450
400
350
300
250
200

11.4   2.4   2.4   1.9   1.6

0   5   10   15   20km

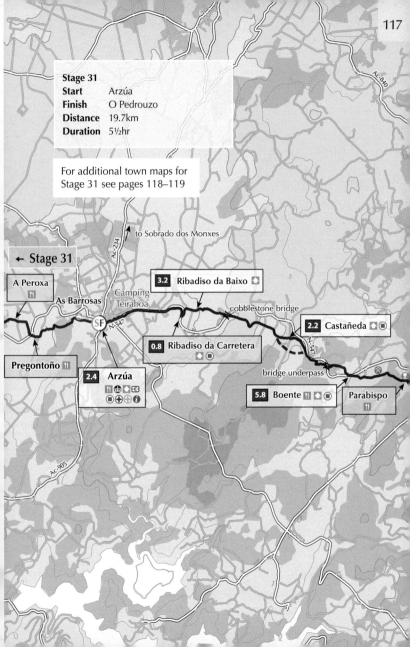

Stage 31
Start Arzúa
Finish O Pedrouzo
Distance 19.7km
Duration 5½hr

For additional town maps for
Stage 31 see pages 118–119

to Sobrado dos Monxes

← Stage 31

A Peroxa

As Barrosas

Camping
Teiraboa

3.2 Ribadiso da Baixo

cobblestone bridge

2.2 Castañeda

Pregontoño

0.8 Ribadiso da Carretera

2.4 Arzúa

bridge underpass

5.8 Boente

Parabispo

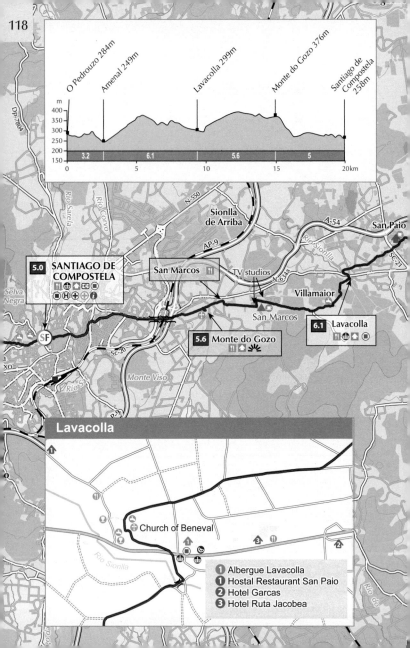

Elevation profile:

O Pedrouzo 284m	Amenal 249m		Lavacolla 299m		Monte do Gozo 376m		Santiago de Compostela 258m
3.2		6.1		5.6		5	

5.0 SANTIAGO DE COMPOSTELA

San Marcos

5.6 Monte do Gozo

6.1 Lavacolla

San Paio

Sionlla de Arriba

Villamaior

San Marcos

TV studios

Lavacolla

Church of Beneval

1 Albergue Lavacolla
1 Hostal Restaurant San Paio
2 Hotel Garcas
3 Hotel Ruta Jacobea

Stage 32
Start O Pedrouzo
Finish Santiago de Compostela
Distance 20.0km
Duration 5½hr

For additional town maps for
Stage 32 see pages 120–123

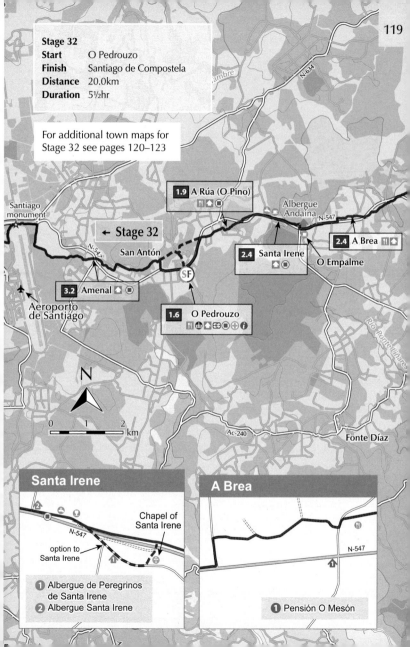

← Stage 32

Santiago
monument

San Antón

1.9 A Rúa (O Pino)

Albergue
Andaina

2.4 A Brea

2.4 Santa Irene

O Empalme

3.2 Amenal

Aeroporto
de Santiago

SF

1.6 O Pedrouzo

Fonte Díaz

N
0   1   2 km

Santa Irene

N-547

Chapel of
Santa Irene

option to
Santa Irene

❶ Albergue de Peregrinos
   de Santa Irene
❷ Albergue Santa Irene

A Brea

N-547

❶ Pensión O Mesón

O Pedrouzo/A Rúa

1 Albergue Cruceiro de Pedrouzo
2 Albergue Edreira
3 Albergue O Trisquel
4 Albergue Otero
5 Albergue Porta de Santiago
6 Albergue de Peregrinos de Arca - O Pino
7 Albergue REM
8 Albergue Mirador de Pedrouzo
1 Albergue O Burgo
2 Albergue Espíritu Xacobeo
1 Casa da Fonte
2 Hotel Restaurante O Pino
3 Pensión Maruja
1 O Acivro
1 Camping Peregrino O Castiñeiro

O Pedrouzo bypass option

O Pedrouzo

alternative route

San Antón

N-547

N-547

SF

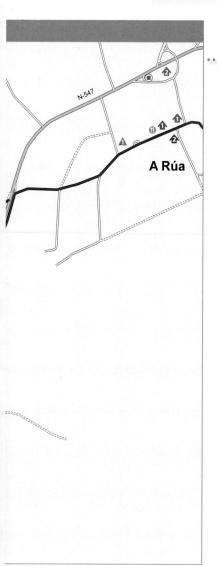

A Rúa

N-547

See page 118 for town
map of Lavacolla.
Santiago de Compostela
see pages 122–123

Bustin

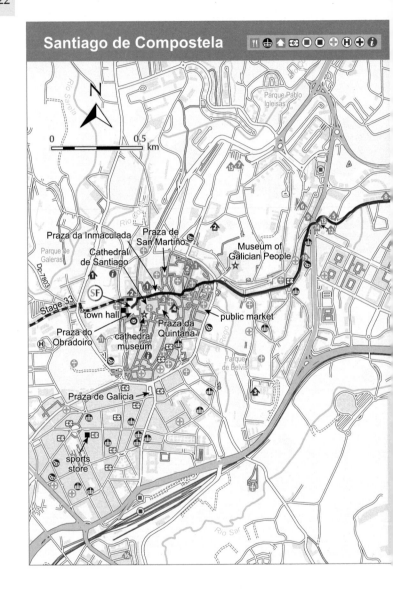

Santiago de Compostela

Parque Pablo Iglesias

Praza da Inmaculada
Praza de San Martiño
Cathedral de Santiago
Museum of Galician People
Stage 33
town hall
Praza do Obradoiro
cathedral museum
Praza da Quintana
public market
Praze de Belvis
Praza de Galicia
sports store

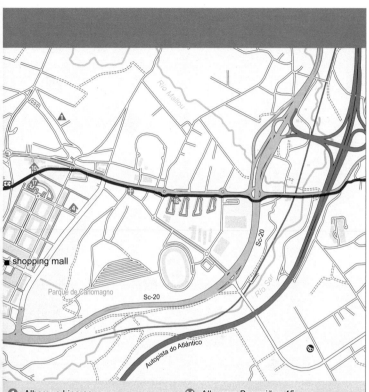

shopping mall

Parque de Carlomagno

Sc-20

Río Maillou

Río Sar

Sc-20

Autopista do Atlántico

1. Albergue Linares
2. Albergue Alda O Fogar de Teodomiro
3. Albergue Azabache
4. Albergue Fin del Camino
5. Albergue La Credencial
6. Albergue La Estrella de Santiago
7. Albergue Meiga Backpackers
8. Albergue Monterrey
9. Albergue Porta Real
10. Albergue Santo Santiago
11. Mundoalbergue
12. Albergue SIXTOS no Caminho
13. Albergue SCQ

14. Albergue Basquiños 45
15. Albergue Santiago Km0
16. Albergue La Estación
17. Albergue A Fonte de Compostela
18. Albergue Dream in Santiago
19. Albergue Santos
1. Blanco Albergue
2. LoopInn
3. Albergue Seminario Menor La Asunción
4. The Last Stamp
1. Hospedería San Martín Pinario
2. Hostal Reis Católicos
1. Camping As Cancelas

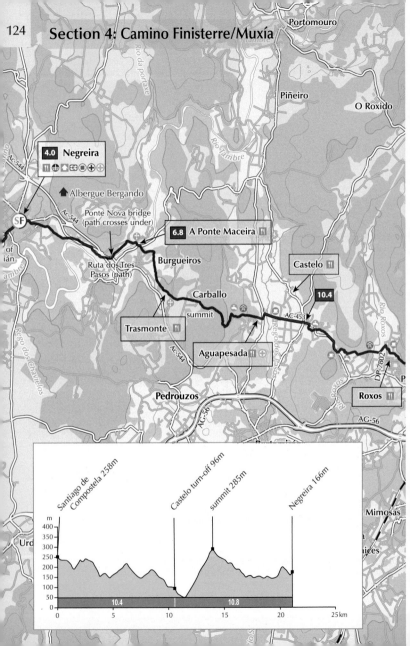

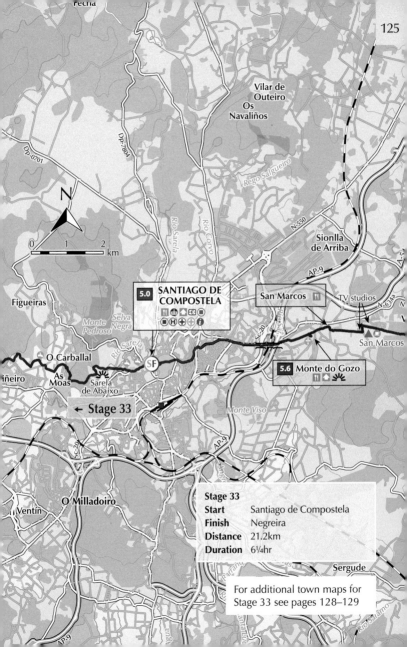

Fecha

Vilar de
Outeiro

Os
Navaliños

Dp-0701

Dp-7804

Rego Salgueiro

N-550

Río Sarela

Río Corvo

Sionlla
de Arriba

AP-9

A-54

N

0   1   2 km

Figueiras

Monte
Pedroso

Selva
Negra

5.0 SANTIAGO DE
COMPOSTELA

San Marcos

TV studios

N-634a

N-2

San Marcos

Río Sarela

Sc-20

O Carballal

SF

5.6 Monte do Gozo

As
Moas

Sarela
de Abaixo

iñeiro

← Stage 33

Monte Viso

AP-9

Sc-20

Monte

Ventín

O Milladoiro

Serude

Stage 33	
Start	Santiago de Compostela
Finish	Negreira
Distance	21.2km
Duration	6¼hr

For additional town maps for
Stage 33 see pages 128–129

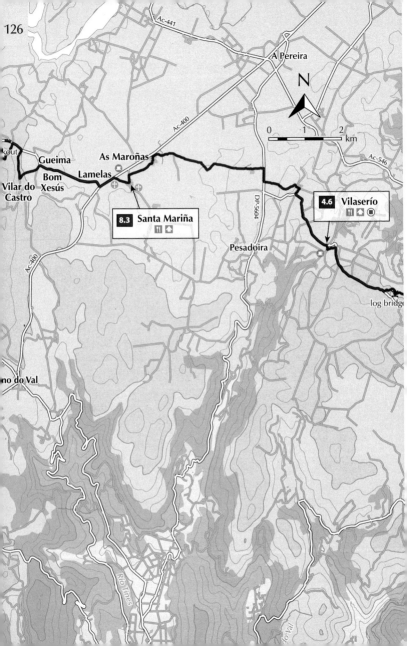

Ac-441

A Pereira

N

0 1 2 km

Ac-546

kout

Gueima

As Maroñas

Ac-400

Vilar do Castro

Bom Xesús

Lamelas

DP-5604

4.6 Vilaserío

8.3 Santa Mariña

Pesadoira

Ac-400

no do Val

log bridge

Río Tines

Río Val

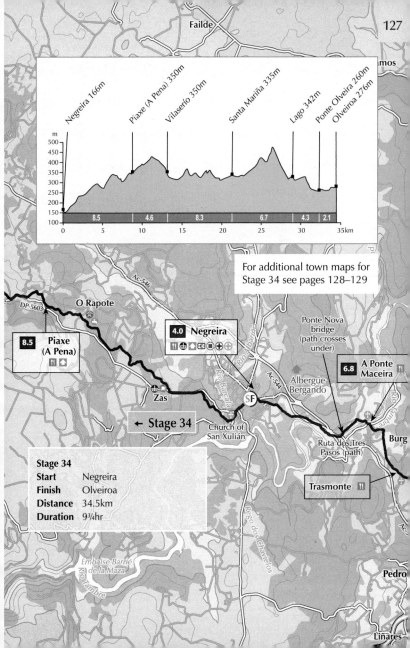

Negreira 166m
Piaxe (A Pena) 350m
Vilaserío 350m
Santa Mariña 335m
Lago 342m
Ponte Olveira 260m
Olveiroa 276m

m
500
450
400
350
300
250
200
150
100

0   5   10   15   20   25   30   35km

8.5   4.6   8.3   6.7   4.3   2.1

For additional town maps for
Stage 34 see pages 128–129

O Rapote

DP-5603

8.5 Piaxe (A Pena)

4.0 Negreira

Ponte Nova
bridge
(path crosses
under)

6.8 A Ponte
Maceira

Zas

Albergue
Bergando

← Stage 34

SF

Church of
San Xulián

Ruta dos Tres
Pasos (path)

Burg

Stage 34
Start Negreira
Finish Olveiroa
Distance 34.5km
Duration 9¾hr

Trasmonte

Embalse Barrié
de la Maza
Río Tambre

Pedro

Linares

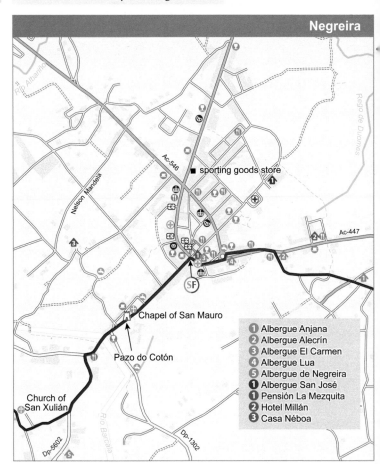

Negreira

■ sporting goods store

Chapel of San Mauro

Pazo do Cotón

Church of San Xulián

1 Albergue Anjana
2 Albergue Alecrín
3 Albergue El Carmen
4 Albergue Lua
5 Albergue de Negreira
1 Albergue San José
1 Pensión La Mezquita
2 Hotel Millán
3 Casa Néboa

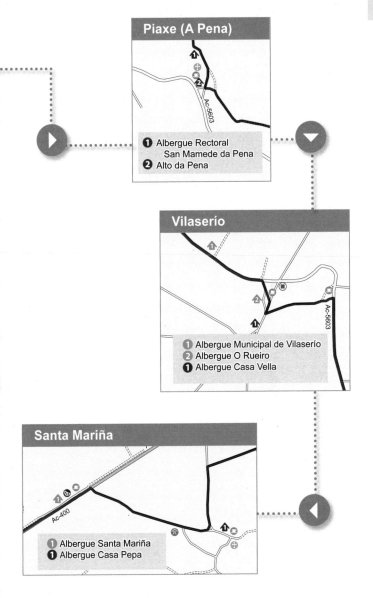

Piaxe (A Pena)

AC-5603

① Albergue Rectoral
San Mamede da Pena
② Alto da Pena

Vilaserío

AC-5603

① Albergue Municipal de Vilaserío
② Albergue O Rueiro
① Albergue Casa Vella

Santa Mariña

AC-400

① Albergue Santa Mariña
① Albergue Casa Pepa

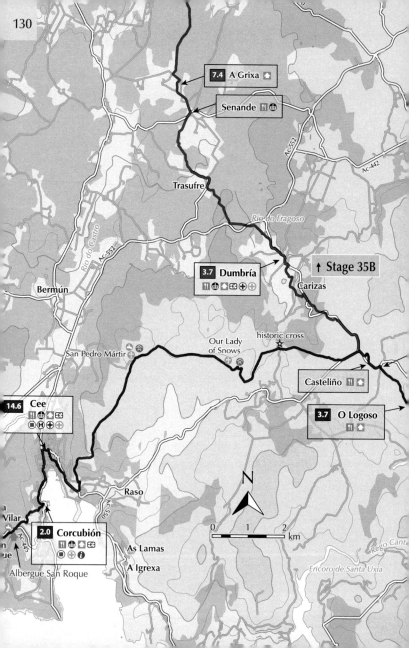

7.4 A Grixa

Senande

Trasufre

Río do Fragoso

3.7 Dumbría

↑ **Stage 35B**

Carizas

Bermún

Río do Castro

AC-552

historic cross

Our Lady
of Snows

San Pedro Mártir

Casteliño

14.6 Cee

3.7 O Logoso

Raso

N

0   1   2 km

Vilar

2.0 Corcubión

AC-445

As Lamas

A Igrexa

Albergue San Roque

Rego Cant

Encoro de Santa Uxía

Elevation profile markers:
Olveiroa 276m
O Logoso 288m
Hospital 342m
Cee 3m
Corcubión 8m
Sardiñeiro de Abaixo 7m
Finisterre 13m
Cape Finisterre 110m

Profile segment distances: 3.7 | 1.4 | 14.6 | 2 | 4.9 | 5.8 | 3.4

For additional town maps for Stage 35A see pages 134–137

Stage 35A
Start Olveiroa
Finish Cape Finisterre
Distance 35.7km
Duration 10hr

1.4 Hospital 🍴 🏠 ℹ️

2.1 Olveiroa 🍴 🏠

3.2 Corzón 🍴

1.1 Ponte Olveira 🍴 🏠

6.7 Lago 🍴 ⊕ 🏠

crenellated bridge

SF DP-3404

← Stage 35A

Abeleiroas

lookout

Gueima

Vilar do Castro

Bom Xesús

As Lamelas

A Picota

Río Xallas

Enc Fe

AC-441

AC-400

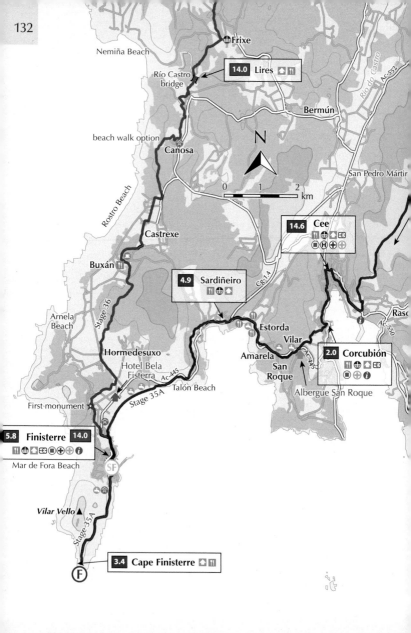

⊕ Frixe

Nemiña Beach

Río Castro
bridge

14.0 Lires 🏠 🍴

Bermún

Río do Castro
AC-552

beach walk option

Canosa

San Pedro Mártir

0   1   2
km

N

14.6 Cee
🍴 ⊕ 🏠 ⊞
⊙ ⊞ ⊕ ⊕

Rostro Beach

Castrexe

Buxán 🍴

4.9 Sardiñeiro
🍴 ⊕ 🏠

Cg-1.4

Stage 36

Estorda
Vilar

2.0 Corcubión
🍴 ⊕ 🏠 ⊞
⊙ ⊕ ⊙

AC-550

Rasc

Arnela
Beach

Hormedesuxo

Amarela

Hotel Bela
Fisterra

San
Roque

AC-445

Talón Beach

Albergue San Roque

Stage 35A

First monument ☆

5.8 Finisterre **14.0**
🍴 ⊕ 🏠 ⊞ ⊙ ⊕ 𝒊

Mar de Fora Beach

SF

Vilar Vello ▲

Stage 35A

3.4 Cape Finisterre 🏠 🍴

Ⓕ

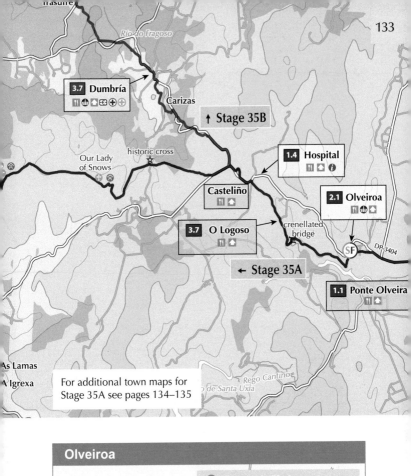

Trasufre

133

Río do Fragoso

3.7 Dumbría

Carizas

↑ **Stage 35B**

historic cross

Our Lady of Snows

1.4 Hospital

Casteliño

2.1 Olveiroa

3.7 O Logoso

crenellated bridge

← **Stage 35A**

DP-3404

SF

1.1 Ponte Olveira

As Lamas

A Igrexa

Rego Cantiño

Río de Santa Uxía

For additional town maps for Stage 35A see pages 134–135

Olveiroa

AC-3404

SF

❶ Albergue de Olveiroa
❷ Albergue Hórreo
❸ Albergue O Peregrino
❹ Albergue Santa Lucía de Olveiroa
❶ Albergue Casa Manola
❶ Pensión Casa do Loncho
❷ Pensión As Pías

Santiago de Olveiroa

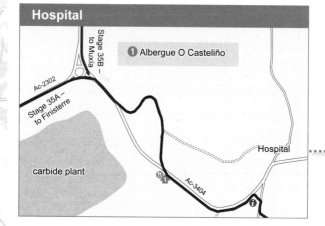

Hospital

1 Albergue O Casteliño

Stage 35B – to Muxía

Ac-2302

Stage 35A – to Finisterre

carbide plant

Hospital

Ac-3404

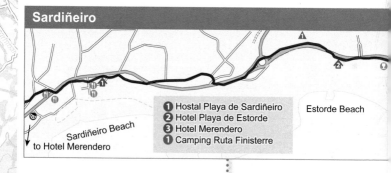

Sardiñeiro

1 Hostal Playa de Sardiñeiro
2 Hotel Playa de Estorde
3 Hotel Merendero
1 Camping Ruta Finisterre

Estorde Beach

Sardiñeiro Beach
to Hotel Merendero

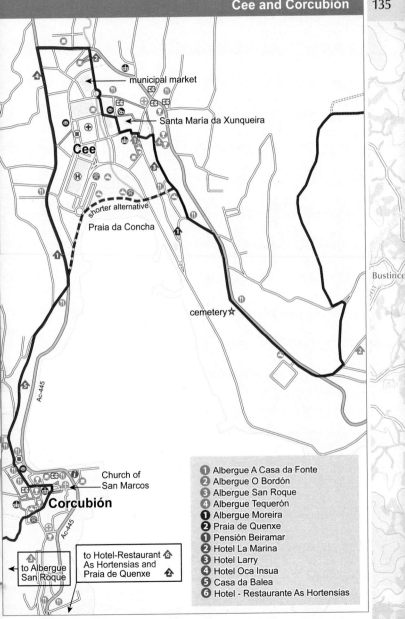

municipal market

Santa María da Xunqueira

Cee

shorter alternative

Praia da Concha

cemetery ☆

Bustince

Church of
San Marcos

Corcubión

1 Albergue A Casa da Fonte
2 Albergue O Bordón
3 Albergue San Roque
4 Albergue Tequerón
1 Albergue Moreira
2 Praia de Quenxe
1 Pensión Beiramar
2 Hotel La Marina
3 Hotel Larry
4 Hotel Oca Insua
5 Casa da Balea
6 Hotel - Restaurante As Hortensias

to Albergue San Roque

to Hotel-Restaurant 6
As Hortensias and
Praia de Quenxe 2

Finisterre

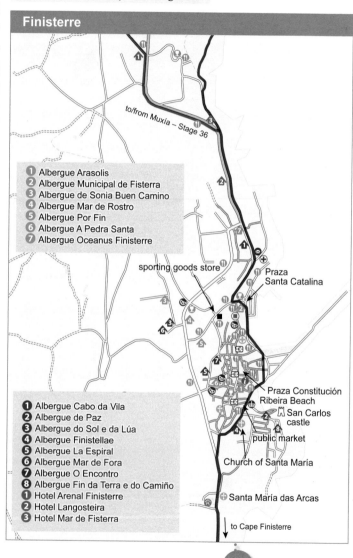

1. Albergue Arasolis
2. Albergue Municipal de Fisterra
3. Albergue de Sonia Buen Camino
4. Albergue Mar de Rostro
5. Albergue Por Fin
6. Albergue A Pedra Santa
7. Albergue Oceanus Finisterre

sporting goods store

Praza Santa Catalina

1. Albergue Cabo da Vila
2. Albergue de Paz
3. Albergue do Sol e da Lúa
4. Albergue Finistellae
5. Albergue La Espiral
6. Albergue Mar de Fora
7. Albergue O Encontro
8. Albergue Fin da Terra e do Camiño
1. Hotel Arenal Finisterre
2. Hotel Langosteira
3. Hotel Mar de Fisterra

Praza Constitución
Ribeira Beach
San Carlos castle
public market
Church of Santa María

Santa María das Arcas

to Cape Finisterre

to/from Muxía – Stage 36

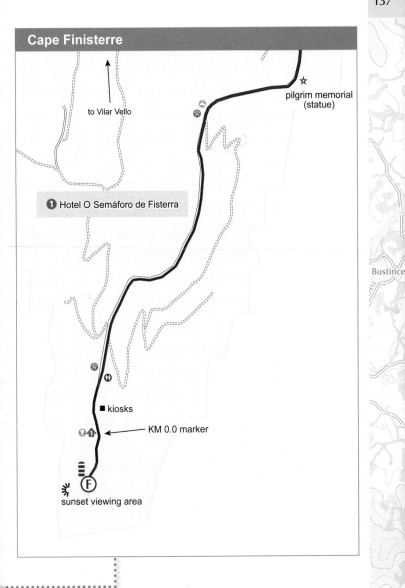

Cape Finisterre

to Vilar Vello

1 Hotel O Semáforo de Fisterra

pilgrim memorial (statue)

■ kiosks

KM 0.0 marker

sunset viewing area

F

Bustince

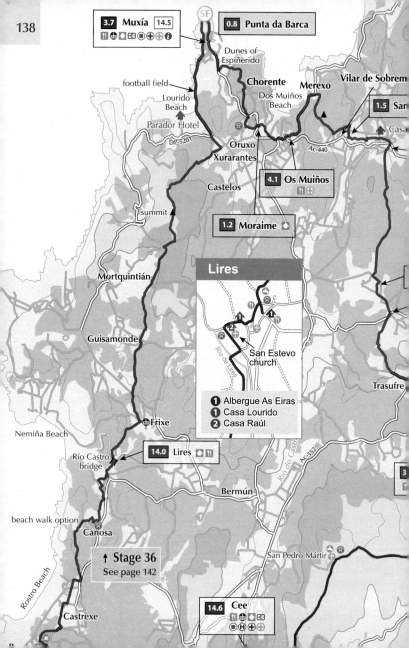

3.7 Muxía 14.5

0.8 Punta da Barca

Dunes of Espiñerido

football field

Chorente

Merexo

Vilar de Sobrem

Lourido Beach

Dos Muiños Beach

Parador Hotel

1.5 San

Casa

DP-5201

Oruxo

Xurarantes

Ac-440

4.1 Os Muiños

Castelos

summit

1.2 Moraime

Mortquintián

Lires

Guisamonde

San Estevo church

Trasufre

❶ Albergue As Eiras
❶ Casa Lourido
❷ Casa Raúl

Frixe

Nemiña Beach

Río Castro bridge

14.0 Lires

Bermún

Rio do Castro

Ac-352

3

beach walk option

Canosa

San Pedro Mártir

↑ **Stage 36**
See page 142

Rostro Beach

14.6 Cee

Castrexe

Vimianzo

Martiño de Ozón

Pedrajás

4.3 Quintáns

Suxo

Ac-440

Ac-552

N

0   1   2   km

Stage 35B
Start   Olveiroa
Finish   Muxía
Distance   31.6km
Duration   9hr

For additional town maps for
Stage 35B see pages 140–141

7.4 A Grixa

Senande

Rio do Fr...

Olveiroa 276m
O Logoso 288m
Hospital 342m
Dumbría 189m
A Grixa 125m
Quintáns 88m
San Martiño 56m
Moraime 61m
Muxía 5m
Punta da Barca 16m

m
400
350
300
250
200
150
100
50

| 3.7 | 1.4 | 3.7 | 7.4 | 4.3 | 1.5 | 5.3 | 3.7 | 0.3 |

0   5   10   15   20   25   30   35km

Dumbría

Carizas

historic cross

Our Lady
of Snows

1.4 Hospital

Casteliño

2.1 Olveiroa

3.7 O Logoso

crenellated
bridge

SF

DP-3404

Rio Xallas

Enc
Fe...

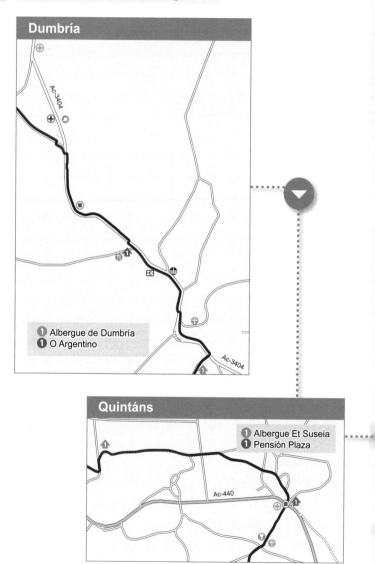

Dumbría

1 Albergue de Dumbría
1 O Argentino

Quintáns

1 Albergue Et Suseia
1 Pensión Plaza

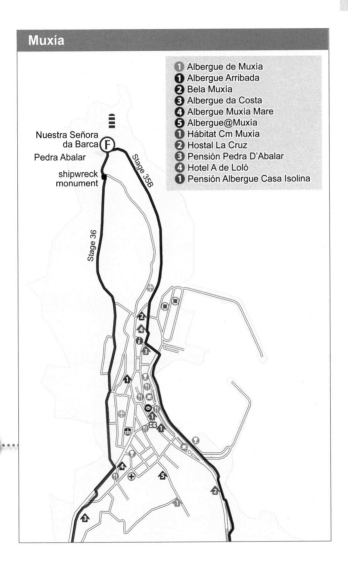

Muxía

1 Albergue de Muxía
1 Albergue Arribada
2 Bela Muxía
3 Albergue da Costa
4 Albergue Muxía Mare
5 Albergue@Muxía
1 Hábitat Cm Muxía
2 Hostal La Cruz
3 Pensión Pedra D'Abalar
4 Hotel A de Loló
1 Pensión Albergue Casa Isolina

Nuestra Señora da Barca
Pedra Abalar
shipwreck monument

Stage 35B

Stage 36

beach walk option

Canosa

For continuation of Stage 36 see page 138

San Pedro Már

Bernun

Rostro Beach

Castrexe

14.6 Cee

Buxán

4.9 Sardiñeiro

Arnela Beach

Stage 36

Estorda

Vilar

Hormedesuxo

Amarela

San Roque

2.0 Corcubión

Hotel Bela Fisterra

AC-445

Talón Beach

Stage 35A

Albergue San Roque

First monument ★

↑ Stage 36

5.8 Finisterre **14.0**

Mar de Fora Beach

SF

Vilar Vello ▲

Stage 35A

Stage 36
Start Finisterre (variant starts from Muxía)
Finish Muxía (variant ends at Finisterre)
Distance 29.5km
Duration 8½hr

3.4 Cape Finisterre

F

Finisterre 13m | Buxán 90m | Lires 41m | Frixe 71m | summit 268m | Muxía 5m | Punta da Barca 16m

m
300
250
200
150
100
50
0

0   5   10   15   20   25   30 km

14   14.5   0.8

INDEX OF TOWN AND CITY MAPS

CICERONE

Trust Cicerone to guide your next adventure,
wherever it may be around the world...

Discover guides for hiking, mountain walking, backpacking,
trekking, trail running, cycling and mountain biking, ski touring,
climbing and scrambling in Britain, Europe and worldwide.

Connect with Cicerone online and find inspiration.

- buy books and ebooks
- articles, advice and trip reports
- podcasts and live events
- GPX files and updates
- regular newsletter

cicerone.co.uk